現代台湾クロニクル 2014-2023

近藤伸二

白水社

現代台湾クロニクル——2014-2023

はじめに

世界で台湾の存在感が高まっている。政治的には、専制主義陣営に対抗する民主主義陣営の旗手としてもてはやされている。経済的にも、ＩＴ（情報技術）製品の生産基地としてグローバルなサプライチェーン（供給網）に欠かせない役割を演じている。

九州よりやや小さい島に約二三〇〇万人が暮らす台湾は、土地や人口の規模が大きいわけでもなく、資源が豊富なわけでもない。外交的にも、統一を迫る中国の圧力を受け、孤立状態に置かれている。決して恵まれているとは言えない環境にあるのに、なぜ台湾はスポットライトを浴びるようになったのか？

その答えを探るのに、シンプルながら有効な方法がある。そうした傾向が顕著になってきたのはここ一〇年ほどのことで、おおむね現在の与党・民主進歩党（民進党）の蔡英文《さいえいぶん》政権の時代に重なる。その間に台湾で注目を集めたトピックを継続的に取り上げて背景を探れば、国際社会で台湾が台頭してきた原因がわかるのではないか。

ちょうど私は二〇一四年二月から二〇二二年九月まで、一般財団法人「台湾協会」（東京都文京区）の月刊機関紙『台湾協会報』で、「最近の台湾情勢」というタイトルの連載を担当した。二〇二三年になっても、寄稿の機会をいただいた。

「台湾協会」は台湾からの引き揚げ者の支援組織を母体として一九五〇年に設立された歴史ある団体で、日台間の相互理解促進のための活動や台湾関係者の追悼法要、台湾に関する重要図書・資料の収集と閲覧などを行っている。若い人たちにももっと関心を持ってもらいたいので、「台湾の今」がわかる内容の記事を、と執筆を依頼されたのだが、そこで扱ってきたのが、まさにその時々でもっともホットな台湾のニュースだった。

そうして積み上げた一〇〇本あまりの記事を取捨選択し、加筆・修正したのが本書である。台湾社会は目まぐるしく変化し、人びとの関心事も刻々と移り変わるだけに、テーマは政治、対中関係、経済、社会など多岐にわたる。一つひとつの記事は公開済みなのだが、ジャンルごとにまとめ、時系列に並べて読むと、新たな発見がある。

何より、四年に一度の総統選やその中間年に行われる統一地方選で、明確な民意が示されることがわかる。政治家や政党の業績は、きっちりと得票率に反映される。中央でも地方でも政府は目に見える成果を挙げなければ、投票によって退場させられる。政治家や政党の支持率もダイナミックに上下する。

政治と大衆の距離が近く、有権者が政治家を実績に基づいて厳しく評定している実態がうかがえ、民主主義の原点を見る思いがする。台湾の選挙は東アジアの平和と安定を左右する重要行事にもなっており、目が離せない。

中国との関係では、中国は台湾に対して、二〇一七年ごろから統一攻勢を強めてきた状況が浮かび上がる。蔡総統が再選を果たした二〇二〇年以降は、軍事的威嚇も常態化してきた。それに応じて、蔡氏も現状維持の主張は変えていないものの、香港で政府に対する大規模抗議デモが続いた二〇一九年から、「一国二制度」反対を強調するようになった。

そして、台湾海峡情勢は緊迫の度を増し、二〇二二年にはペロシ米下院議長（当時）が台湾を訪れて蔡氏と会談したことへの報復として、中国が大規模な軍事演習を実施する事態に至るのである。台湾有事は今や、日本の安全保障にも重大な影響を与えている。

米国との関係では、二〇一七年の共和党のトランプ政権発足が大きな転換点となったことが読み取れる。トランプ政権は台湾を優遇する法律を相次いで制定したり、台湾に閣僚を派遣したりするなど、それ以前の政権よりワンランク上の政策を繰り出して台湾に肩入れした。深刻な米中対立が背景にあり、民主党のバイデン政権になっても、その路線は踏襲されている。

日本との関係では、着実に交流が深まっている様子が伝わってくる。二〇一一年の東日本大震災で台湾が二〇〇億円を超える義援金を日本に贈ったことはよく知られているが、それ以降も双方で災害が発生するたびに、エールを送り合っている。中国への配慮から、日本政府が台湾に対して行ってきた各種の冷遇策を、少しずつ正常に戻していく流れが鮮明になっている。

内政面でも、あらためて気づくことがある。新型コロナウイルス対策では、蔡政権は初動の厳格な措置で手際よく感染を封じ込め、支持率も急上昇した。だが、その後はワクチン入手で後れを取るなど対応のまずさが批判を浴び、統一地方選で民進党が大敗を喫し、最大野党の中国国民党（国民党）が大勝する原因にもなった。成功と失敗は紙一重なのである。

経済面では、最先端の技術力を誇る台湾積体電路製造（ＴＳＭＣ）を中心とした半導体産業の躍進ぶりが際立っている。コロナ禍による巣ごもり需要の拡大が引き起こした半導体不足もあって、台湾企業の動向が世界経済の命運を握るまでになった。

一方で、生産拠点を台湾に集中させるＴＳＭＣの経営戦略は、中国の武力侵攻が現実味を帯びて語られるようになるにつれ、地政学的な論争を巻き起こした。それに伴い、日米政府から請われて、ＴＳＭＣが熊本県やアリゾナ州で工場建設に踏み切った経緯も描き出されている。

本書は、もとの記事を執筆したときの空気感や時代感を伝えるため、それぞれの出来事に対する評判や見通しなども、そのまま掲載している。なかには、評価が変わったり、予想どおりにはいかなかったりしたケースもあるのだが、その当時の見方を示すことで、台湾の激変ぶりが実感できるのではないかと考えたからだ。ただし、掲載した時点から時間が経過して結論が出たり、新たな展開があったりした場合は、（＊１）（＊２）と注番号を振り、各項目の末尾に付記した。また、書籍化にあたって読者の理解の一助となるよう、適宜図表・写真を加えた。

このようなねらいでまとめた本書は、九年にわたる台湾の奮闘ぶりを記録したクロニクル（年代記）であり、台湾が世界で台頭してきた要因を分析した解説書でもある。台湾に詳しい人には、直近の過去を振り返る「年表」「日記」として、これから台湾について調べたり、学んだりしようとしている人には、「案内書」「入門書」として読んでいただければ幸いである。本書が一人でも多くの人にとって台湾を理解する手助けとなれるなら、著者としてそれに勝る喜びはない。

現代台湾クロニクル——2014-2023　目次

東シナ海
福州
馬祖島
福建省
台湾海峡
台北市
泉州
厦門
（アモイ）
金門島
澎湖諸島
松山空港
淡水
基隆市
九
桃園国際空港
台北市
汐止
桃園市
新北市
烏来
新竹市
宜蘭
新竹県
羅東
宜蘭県
苗栗
台湾高速鉄道（新幹線）
苗栗県
大甲
梨山
清水
東勢
梧棲
豊原
台中市
彰化
鹿港
霧社
花蓮港
彰化県
埔里
員林
花
蓮
県
北斗
集集
水里
水
西螺
南投県
雲林県
虎尾
澎湖島
嘉義市
嘉義県
朴子
塩水
佳里
台南市
台
東
県
旗山
岡山
台東
九塊
屏
東
県
高雄市
屏東
鳳山
緑島
潮州
東港
N
蘭嶼
恒春
0
50km
墾丁
鵝鑾鼻

凡例

- 人物の肩書や通貨の為替レートは、元記事の執筆・掲載当時のものを使用した。
- 初出の台湾と中国の人名には平仮名で日本語読みのルビを、韓国の人名には片仮名で韓国語読みのルビを付けた。
- 本書に掲載した写真のうち、クレジットがないものはすべて筆者自身が撮影したものである。

第1章 波乱続きの政権運営

1 発足した新政権

新時代を切り開いた総統選

二〇一六年一月十六日に台湾総統選が行われ、事前の予想どおり、野党・民進党の蔡英文主席が圧勝した。蔡氏は五月二十日に就任し、三回目の政権交代が実現する。同時に実施された立法委員選（国会議員選、定数一一三）でも、民進党は過半数の六八議席を獲得し、初めて議会で多数派となった。有権者はこの選挙にどのようなメッセージを込めたのか、現地取材をもとに探ってみたい。

今回の総統選で際立ったのは、選挙戦の初めから終わりまで一貫して、蔡氏が大幅なリードを保ったことだ。過去の総統選は、現職の李《り》登《とう》輝《き》氏（国民党）が大勝した一九九六年の初回を除き、国民党と民進党が毎回、デッドヒートを繰り広げてきた。住民は二大政党の激突を楽しんでいるようにも見えたものだ。なぜ今回、これほど一方的な展開となったのだろうか。

民進党が早くから公認候補を蔡氏に絞り、一致団結して選挙運動を進めたのに対し、国民党はいったん決めた女性候補の洪秀柱《こうしゅうちゅう》立法院副院長（国会副議長）を投票三カ月前になって朱立倫《しゅりつりん》主席に差し替える失態を演じたことは大きかった。

だが、本命の朱氏が登場しても、蔡氏との差は縮まらなかった。二〇一五年十一月の馬英九《ばえいきゅう》総統と中国の習近平《しゅうきんぺい》国家主席による歴史的な中台首脳会談も、国民党の劣勢挽回にはつながらなかった。これは「何としても、国民党を政権から降ろす」という有権者の意思が固かったことを物語っている。

それを裏づける状況は少なくない。総統選の投票率は六六・二七パーセントで、過去最低だった前回二〇一二年の七四・三八パーセントを下回り、初めて七〇パーセントを割った。民進党支持者が投票に行く確率は高いので、棄権した国民党支持者が多かったことをうかがわせる。

政策面で国民党と近い親民党の宋楚瑜《そうそゆ》主席の得票率が一二・八四パーセントとかなり予想を上回ったのも、国民党に嫌気が差した支持者が宋氏に投票したためとみられる。朱氏はこれまで国民党の牙城だった北部の台北市や新北市でも、蔡氏に水をあけられた。

背景には、馬政権の対中傾斜に、住民が「このままでは中国にのみ込まれてしまう」という危機感を持った現実がある。それが台湾人意識を高め、対中政策で現状維持を掲げて中国への過度の依存を正すと訴えた蔡氏を後押しした。

とくに顕著だったのは、若年層の国民党離れだ。最近、台湾メディアでは「天然独《てんねんどく》」という言葉がよく使われる。民主化が定着した一九九〇年代以降に生まれ、「台湾は独立した国家」と当たり前のように受け止めている世代を指す。中台首脳会談直後に行われた世論調査では、二十〜二十九歳の九八パーセントが自分のアイデンティティーについて「台湾人」と答え、「中国人」との回答は二パーセントにすぎなかったという（『朝日新聞』二〇一六年一月十九日朝刊）。

2016年台湾総統選結果

政党	総統候補者	副総統候補者	得票数	得票率(%)
民進党	蔡英文	陳建仁	689万4744	56.12
国民党	朱立倫	王如玄	381万3365	31.04
親民党	宋楚瑜	徐欣瑩	157万6861	12.84

出典：台湾中央選挙委員会

2016年台湾立法委員選結果

政党	獲得議席数
民進党	68
国民党	35
時代力量	5
親民党	3
その他	2
合計	113

出典：台湾中央選挙委員会

そうした若者たちが、馬政権の対中接近策に対する不満から二〇一四年三月に起こしたのが、学生が立法院（国会）を占拠した「ひまわり学生運動」だ。今回の立法委員選では、その運動から生まれた新政党、時代力量が五議席を得た。この流れからして、台湾人意識はこれからますます高まっていくだろう。

こうした事情に加え、国民党が大敗を喫したのは、同党に象徴される「黒金（反社会勢力との癒着や金権）政治」や「密室政治」など古い体質の政治に、住民がノーを突きつけたからではないか。

その面で、蔡氏は格好の受け皿だった。学者出身で、政治家としての経歴はそれほど長くない。クリーンで知的なイメージが強く、台湾の人びとには、古い政治を変えるのにふさわしい人材と映ったようだ。

蔡氏は民進党のなかでも異色だ。同党は国民党独裁と闘う反体制派が集まって結成した経緯があり、活動家タイプの政治家が多い。絶叫型の演説を得意とし、激しい言葉で国民党を攻撃したり挑発したりして会場を盛り上げるスタイルが主流だった。

対照的に、蔡氏の演説は理詰めで冷静だ。当選を決めた夜、台北市の党本部前で行った勝利宣言は、さすがに詰めかけた大勢の支持者と一体となって興奮に包まれたものの、蔡氏自身は右手の拳を小さく振り上げる程度で、派手なジェスチャーはしない。内容も理性的な呼びかけが目立ち、踏み出した発言はなかった。

一九九〇年代から台湾の選挙を見てきた目からすれば、物足りないぐらいのクライマックスの光景だったが、それがむしろ現在の住民の心情にはぴったりくるのだろう。

二〇〇〇年の総統選で、民進党の陳水扁《ちんすいへん》氏が国民党候補らを破り、半世紀以上にわたった一党支配に終止符を打った。貧農家庭から努力で這い上がった陳氏は「台湾ドリーム」ともてはやされ、行く先々で熱狂的な支持者に囲まれた。しかし、周辺や自身の金銭スキャンダルが相次いで発覚し、八年後には追われるように総統府を去った。

入れ替わりに、台湾の人たちの心をつかんだのは馬氏だった。国民党でエリートとして育てられた馬氏は、端麗な容姿や米ハーバード大学で博士号取得という華麗な学歴と相まって、常にスポットライトを浴びる存在だった。だが、やはり八年後の今、住民からそっぽを向かれ、ごうごうと渦巻く非難の嵐の前に立たされている。

この一六年間、二人の「スター政治家」に夢を託しては深い失望を味わう経験をしてきた住民は、地に足の着いた政治家を待望したのだろう。

台湾初の女性総統の誕生も、住民の思いが結実した結果だ。アジアでも、インドネシアのメガワティ元大統領や韓国の朴槿恵《パククネ》大統領など、女性のトップは珍しくない。だが、いずれも有力政治指導者と血縁や婚姻関係にあるなど特別な立場の人物で、蔡氏のように一般人から上り詰めるのは異例だ。

二〇一二年の総統選に蔡氏が出馬した際は、「中国と軍事的に対峙する台湾では、女性総統は時期尚早」との声も聞かれたものだ。今回、性別は問題にもならず、台湾社会がいっそう開かれ、成熟した現状を映し出した。総統選はさまざまな意味で、台湾の新時代を切り開いたと言える。

対中依存度低下が最重要課題

二〇一六年一月の台湾総統選で当選した民進党の蔡英文主席が五月二十日、台北市内の総統府で宣誓し、第一四代総統に就任した。政権交代は三度目で、民進党は八年ぶりに国民党から政権を奪還した。女性総統は台湾史上初めてだ。

蔡氏は三〇分あまりにわたって就任演説を行ったが、多くの時間を割いたのは内政問題だった。経済改革や年金、教育、少子高齢化、環境、食品の安全、貧富の格差、治安など台湾が直面する課題を列挙し、「新政権に期待されているのは、『問題解決』だ」と強調した。

政府が力を入れていくテーマとして、まず取り上げたのが経済の立て直しだ。持論であるイノベーション、雇用、公平な分配を柱とした「新経済発展モデル」を確立し、今の主力であるＩＴ（情報技術）に代わる新産業を育成すると約束した。

現在四割近い対中輸出の比率（香港向けを含む）を下げ、東南アジアやインドに重点的に投資する「新南向政策」を推進する考えも明らかにした。環太平洋連携協定（ＴＰＰ）や東アジア地域包括的経済連携（ＲＣＥＰ）への加盟にも意欲を示した。全体として、国民党の馬英九前政権で高まった対中依存度を引き下げる方向性を打ち出した。

このように内政問題を中心にした蔡氏の就任演説は、実務型と言っていいだろう。この日発足した新行政院（内閣）も、経済学者の林全《りんぜん》氏が行政院長（首相）を務め、経済対策を最優先する実務型だ。

国際社会の注目を集めた対中政策については、「一つの中国」原則を中台双方が確認したとする「九二年合意」には直接言及しなかったが、「一九九二年に双方の交流窓口機関が協議し、若干の共通の認知と了解に達した。この歴史的事実を尊重する」と述べ、中国に一定の配慮を示した。また、「中華民国（台湾）憲法に従って両岸（中台）業務を進める」とも表明した。台湾の現行憲法は「一つの中国」を前提にしており、中国が「蔡氏が間接的に『一つの中国』原則を認めた」と解釈できる余地を残したかたちだ。

統一でも独立でもない現状維持を掲げる蔡氏は、「中国を挑発しない」と公言している。演説も独立色を抑え、中国に「善意」を示すことで、馬政権の対話路線を引き継ぐねらいがあった。

これに対し、中国は共産党機関紙『人民日報』が五月五日付で「『九二年合意』を認めなければ、両岸の政治的基礎は壊れる」との社説を掲載するなど、蔡氏に「九二年合意」の受け入れを求めてきた。

蔡氏の演説に対しても、中国政府で台湾政策を主管する国務院台湾事務弁公室が声明を発表し、「双方が若干の共通の認知を達成したことを取り上げ、憲法に従って両岸業務を進めると述べた点に注目する」としたものの、「根本的な問題では曖昧な態度で、両岸関係の発展に具体的な提案もない。これでは未完成の答案だ」と批判した。

翌五月二十一日にも、同弁公室の馬暁光《ばぎょうこう》報道官が、蔡政権が「一つの中国」原則を受け入れない

台湾の対中貿易の推移

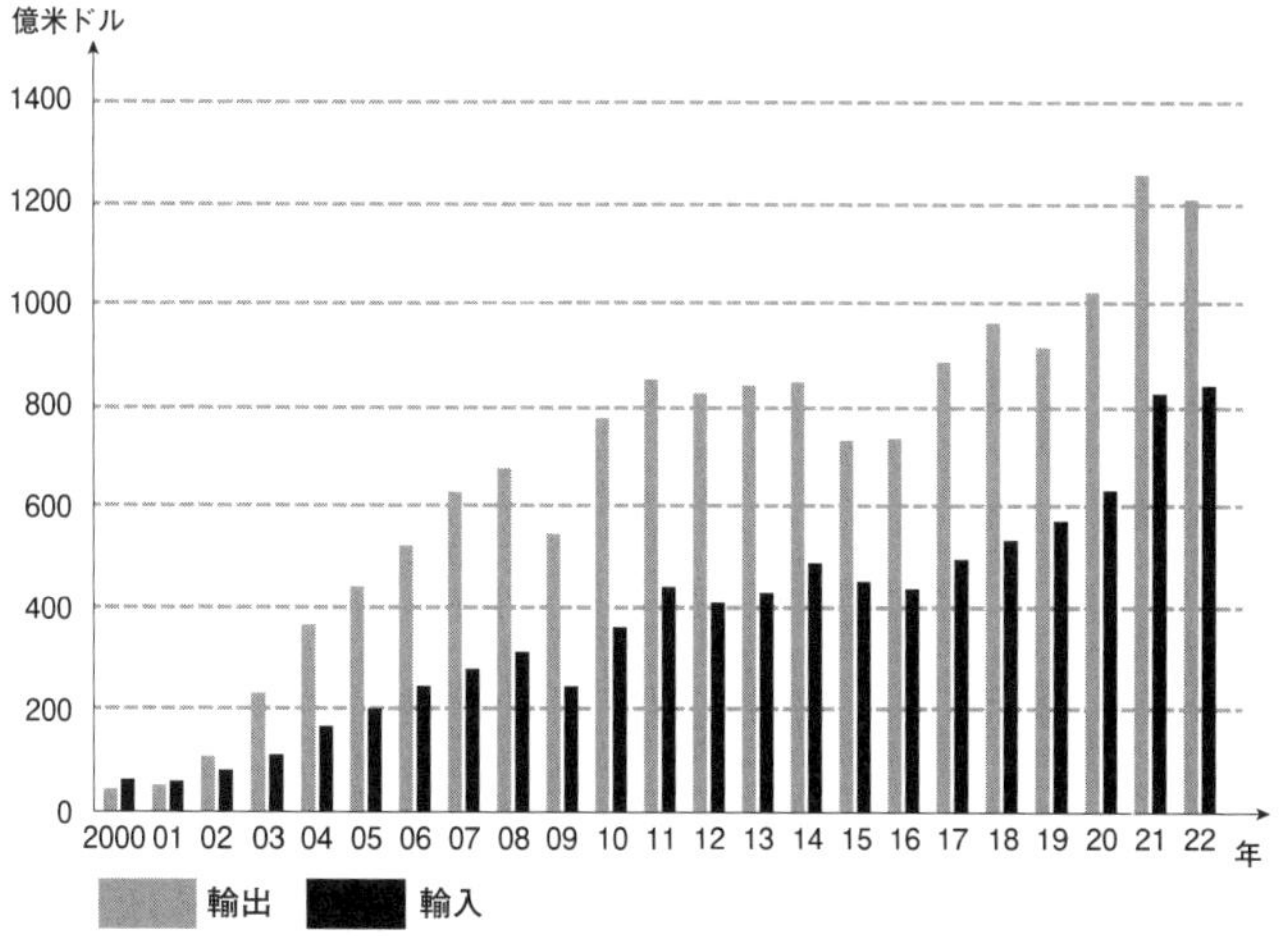

出典：台湾税関統計、中国税関総署統計より著者作成

限り、「当局間の直接対話メカニズムは継続できない」との見解を明らかにした。馬政権下で始まった同弁公室と台湾の行政院大陸委員会による政府間対話は当面、閉ざされる見通しだ。

　中国は蔡氏の総統就任前、世界保健機関（WHO）事務局が台湾に送る年次総会への参加招請状に「一つの中国」原則を明記させたり、中国人観光客が台湾を訪れるのに必要な書類の発給を遅らせたりするなど、台湾に圧力をかけてきた。中国は今後も蔡政権の出方を見守りながら、「一つの中国」原則を認めるよう迫るとみられ、中台間で駆け引きが続きそうだ。

　一方、蔡氏は就任演説で外交について、平和、自由、民主、人権といった普遍的な価値観を共有する「米国、日本、欧州などの民主国家との関係を強化する」と宣言した。

　具体的に日本の名前を挙げたことからもわかるように、蔡氏は以前から日本重視の姿勢だ。安倍晋三首相が二〇一〇年と二〇一一年に訪台した際、会談した実績もある（当時、自民党は野党）。二〇一五年十月には、蔡氏が訪日して安倍氏の地元・山口県を訪れ、実弟の岸信夫衆院議員が案内した。

蔡氏の日本重視の象徴が、駐日大使に当たる台北駐日経済文化代表処代表に元行政院長の謝長廷《しゃちょうてい》氏、台湾の対日交流窓口機関である「亜東関係協会」（＊1）の会長に元総統府秘書長（官房長官）の邱義仁《きゅうぎじん》氏を起用したことだろう。

二人とも民進党の重鎮で、謝氏は京都大学に留学経験があり、日本語も堪能な知日派だ。私も何度かインタビューしたことがあるが、気さくな人柄で、人を引きつける魅力がある。邱氏も北海道大学などで客員研究員を務めたことがある。邱氏にもよく取材したが、複雑なテーマを理路整然と解説する鋭さに、いつも感心させられたものだ。

豊富な対日人脈を持つ両大物トップの就任で、日本に対する発信力が強まるのは間違いない。ベテラン政治家の二人は、ときにくせ球もあるボールを数多く投げてくるだろう。それも含めて、日台関係の進展が楽しみだ。

日本政府も蔡氏の総統就任を歓迎しており、菅義偉官房長官は「日台間の協力と交流のさらなる深化を図りたい」と期待感を表明した。

日台関係をめぐっては二〇一六年四月、沖ノ鳥島（東京都）周辺海域で操業する台湾漁船が、日本の海上保安庁に拿捕される事件が起こった。馬政権は、沖ノ鳥島は島ではなく「岩礁」で排他的経済水域（ＥＥＺ）は設定できないと主張し、拿捕は違法行為だとして、抗議のため海岸巡防署（海上保安庁）の巡視船を同島周辺海域に向けて出航させた。

この件に関連して、蔡政権は、日本と漁業問題などについて話し合う「日台海洋協力対話」を設立すると発表した。沖ノ鳥島を「岩礁」とした馬政権の主張も事実上撤回するなど、日本との対立をエスカレートさせない方針を明確にした。

だが、台湾漁船拿捕については、民進党が多数を占める立法院が日本を批判する決議を全会一致で採択するなど、党派を超えて反日感情が高まった点には注意する必要がある。蔡氏も就任演説で「私には主権と領土を守る責任がある」としたうえで、東シナ海と南シナ海の問題で争いの棚上げと資源の共同開発を呼びかけている。

台湾は南シナ海の南沙諸島最大の太平島を実効支配しているが、フィリピンは中国を相手取ってオランダ・ハーグの常設仲裁裁判所に訴えた手続きで、南沙諸島に島はなく、岩しか存在しないと主張している。六月にも判決が下される見込みだが、太平島が島か岩かの判断に踏み込んだ場合、中国だけでなく、蔡政権の反応も見過ごせない。沖ノ鳥島をめぐる論争にも影響を与え、日台関係に波紋が広がる可能性があるからだ。(*2)

(*1) 二〇一七年五月に「台湾日本関係協会」に改称。第3章2「正常化が進む日台関係」参照。

(*2) 二〇一六年七月、常設仲裁裁判所はフィリピンの主張をほぼ認める判決を出した。第3章3「仲裁裁判所判決の衝撃」参照。

中国傾斜修正に動く

二〇一六年五月二十日に民進党の蔡英文新政権が発足して一カ月以上が過ぎた。野党・国民党の抵抗で波乱の幕開けとなったが、中国への傾斜を修正する姿勢を鮮明にし、まずまずの支持率を保っている。ただ、与党・民進党内の不協和音が表面化するなど課題も浮き彫りになっている。

新政権は出足から異例の事態を迎えた。林全行政院長が五月三十一日に立法院で施政方針演説を行う予定だったが、国民党の立法委員が発言席を占拠したため、六月三日に延期されたのである。国民党の立法委員がやり玉に挙げたのは、食品安全上の理由で禁じている成長促進剤ラクトパミンを使った米国産豚肉の輸入問題だ。蔡政権が対米関係への配慮から規制を解除する可能性があるとして、「解禁しないと確約するまで演説はさせない」と力ずくで阻止した。

蔡政権は経済振興策の一つとして、ＴＰＰへの加盟をめざしている。米国の支持を取りつけるには、米国産豚肉の輸入解禁が条件になるとみられているが、住民の反対は根強い。国民党はその点を突いた。

林氏は国民党の要求に応じ、当初はなかった米国産豚肉輸入問題など三点を追加し、三日遅れて施政方針演説を行った。しかし、国民党の立法委員は全員が席を立ってボイコットした。

一方、蔡政権はスタート直後から、国民党・馬英九前政権の中国寄りの路線を転換する政策を相次いで打ち出している。

二〇一四年に中台サービス貿易協定に反対する学生らが起こした抗議活動「ひまわり学生運動」で、馬政権は参加者一二六人を行政院庁舎への不法侵入容疑で刑事告訴していたが、蔡政権は「告訴は政治的だった」として取り下げた。

沖ノ鳥島周辺海域で台湾の漁船が日本の海上保安庁に拿捕された事件をめぐり、馬政権は中国と足並みをそろえ「沖ノ鳥島は島ではなく岩礁で、日本はＥＥＺを設定できない」と主張していたが、蔡政権は撤回し、日本と漁業問題などを話し合う「日台海洋協力対話」を設立した。

馬前総統が香港で中台関係に関する講演をするために出していた渡航申請についても、総統府は

「退任から一カ月もたたず、機密保護が困難」として許可しなかった。馬氏側は「台湾の自由と民主主義のイメージを損なう」との抗議声明を発表し、与野党対立が激化した。

　こうした蔡総統の政権運営について、ケーブルテレビ大手ＴＶＢＳが六月中旬に行った世論調査では、「満足」は四七パーセントで、「不満足」は一八パーセントだった。就任一カ月の調査としては、二〇〇〇年の民進党の陳水扁総統の「満足」七七パーセントには及ばないものの、二〇〇八年の馬氏の四一パーセントを上回った。

　政権の未熟さを露呈する出来事も起きている。不具合で停止していた台湾北部の第一原発を再稼働する方針を行政院が決めたところ、反原発を党是とする民進党の立法委員が猛反発し、行政院と立法院の反目が深まった。蔡氏は週末に閣僚を自宅に招いて意見交換するなど調整に乗り出したが、野党との関係をどう築くかだけでなく、与党内をどのようにまとめていくか、指導力が問われる場面がこれからも続きそうだ。

「新南向政策」を推進

　台湾の蔡英文政権は二〇一六年五月の就任以来、「新南向政策」に力を入れている。この政策は、東南アジア諸国連合（ＡＳＥＡＮ）各国やインド、オーストラリア、ニュージーランドなど台湾の南方にある一八カ国との関係強化をめざすもので、蔡総統が五月二十日に行った就任演説でも力説した。

　蔡政権は発足間もない六月、「新南向政策」を推進する司令塔として、総統府に「新南向政策弁公室」を設置し、黄志芳《こうしほう》元外交部長（外相）を主任に起用した。八月には、「新南向政策綱領」を発表し、基本方針や目標を明らかにした。

綱領は、一八カ国と経済だけでなく、科学技術、文化、教育など幅広い分野で連携を強めていく方針を掲げている。「経済共同体の意識を確立する」とうたっており、台湾がこれらの国々と地域的な一体感を築くことを長期的な目標にしている。

その一環として、インドの総領事館に当たる台北駐チェンナイ経済文化弁事処が現地の小学生向けに基礎中国語の授業をしたり、東南アジアの文化人を台湾に招き、創作や公演をしてもらったりする活動などにも取り組んでいる。草の根交流を積み重ね、相互理解や信頼を深めようというねらいだ。

もちろん、「新南向政策」の最重要テーマは、各国との貿易・投資の拡大である。背景にあるのが、国民党の馬英九前政権時代に進んだ対中一極集中の現状だ。輸出の四割（香港向けを含む）、対外投資の六割が中国向けで、最近は中国経済の成長鈍化の影響を受けて台湾経済も低迷が続いており、対中依存度の高さは危険水域に近づいている。

コスト面からも、台湾企業は中国に代わる新たな投資先の開拓を迫られている。中国の人件費は高騰を続け、日本貿易振興機構（ジェトロ）の調査によると、二〇一五年十月時点の製造業作業員の月額基本給は、中国はインドの一・八倍、ベトナムの二・三倍、カンボジアの二・六倍などとなっており、豊富で安価な労働力に頼ってきた台湾企業の「中国活用型モデル」は限界に差しかかっている。

こうした情勢を踏まえた「新南向政策」は時宜を得たものと言えるが、思惑どおりに成果を挙げられるかどうかは予断を許さない。この政策は、名称に「新」とつけられていることからもわかるように、国民党の李登輝政権も一九九〇年代に実施したことがある。だが、中心となるＡＳＥＡＮが一九九七年のアジア通貨危機で深刻な打撃を受ける一方で、中国が急速に台頭し、政府の意向とは逆に台湾企業の投資は中国に向かった。

台湾の対中投資（認可ベース）の推移

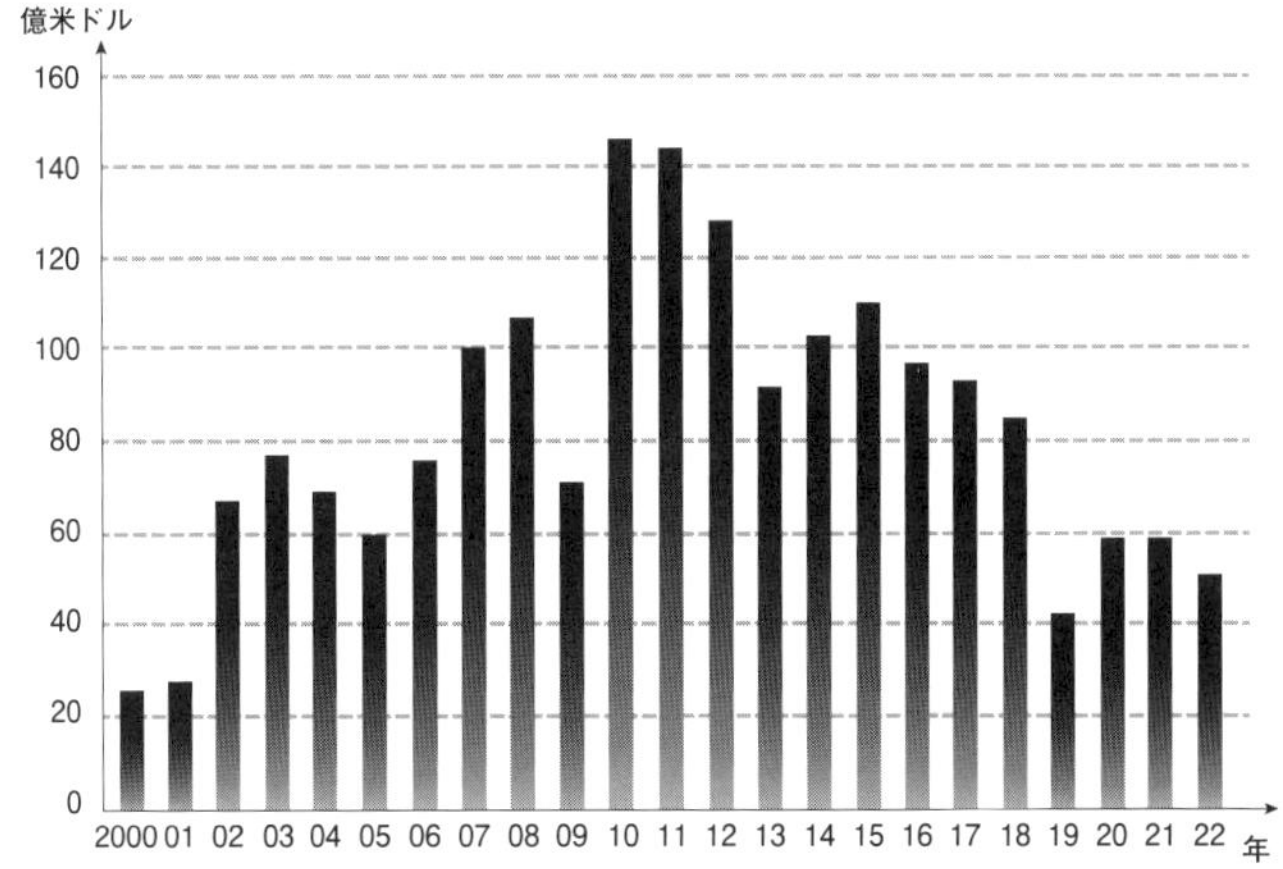

出典：台湾行政院経済部投資審議委員会資料より著者作成

中国の対台湾投資（認可ベース）の推移

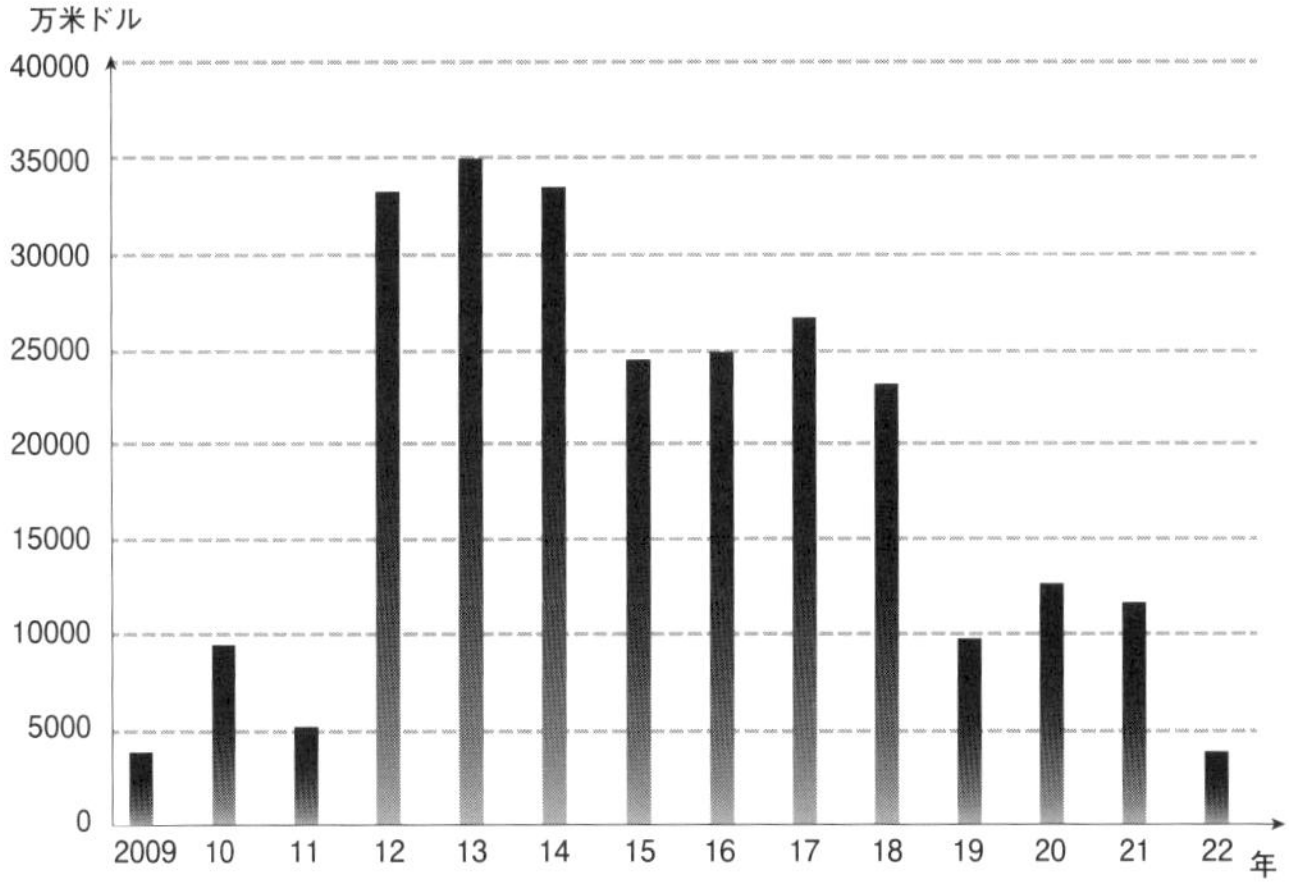

出典：台湾行政院経済部投資審議委員会資料より著者作成

後を継いだ民進党の陳水扁政権もＡＳＥＡＮなどへの投資を奨励したが、中国でインフラやサプライチェーン（供給網）が整備されたことや、台湾の企業家にとって言葉が通じ商習慣も近い中国はビジネスがしやすいこともあって、「西進」と呼ばれる対中投資の勢いは止まらなかった。

その教訓も生かし、蔡政権はさまざまな仕掛けを用意しているのだが、やはり鍵を握るのは中国の出方だ。一八カ国の多くは中国が最大の経済パートナーとなっており、台湾からの投資は歓迎しても、中国との関係は悪化させたくないのが本音だ。「新南向政策綱領」は「中国と協力を進め、適当な時期に協議と対話を行う」と表明しており、蔡政権の外交力と対中交渉力が試される。

2　逆風のなかで苦闘した一期目

成果挙がらず支持率は低迷

二〇一七年五月二十日、台湾の民進党・蔡英文政権が発足から一年を迎えた。内政面では各種の改革に取り組んでいるが、まだ目立った成果は挙げていない。対外関係でも米大統領に就任前のトランプ氏と電話会談するサプライズはあったものの、冷え切った中台関係の打開策は見いだせておらず、蔡総統の支持率は低迷している。

ＴＶＢＳが五月に実施した世論調査によると、蔡氏に「満足」と答えたのは二八パーセントで「不満足」は五六パーセントに上り、就任一カ月時点の「満足」四七パーセントから大きく下がった。就任一年で比較すると、同じ民進党の陳水扁総統の満足度は四一パーセント、国民党の馬英九総統は三八パーセントで、蔡氏は前任の二人を下回る結果となった。

蔡氏は二〇一六年の就任演説で、内政を重視する方針を強調した。その言葉どおり、年金改革、司法改革、働き方改革、同性婚合法化など難しい課題を同時に進めようとしているのだが、いずれも激しい反発を受けて停滞している。二〇二五年に原発をゼロにする脱原発政策にも踏み出したものの、産業界からは懐疑的な見方が出ている。

一方、ＩＴ関連の輸出の好調さに支えられて、一〜三月期の実質域内総生産（ＧＤＰ）は前年同期比二・五六パーセントと比較的高い伸びとなった。二〇一七年の年間ＧＤＰ成長率の見通しも一・九二パーセント（二〇一六年は一・五〇パーセント）に上方修正するなど、明るい兆しもある。

とはいえ、住宅価格の高騰などもあって、住民は成長の恩恵を実感できていないのが現状だ。蔡政権は東南アジアやインドなどとの交流を強化する「新南向政策」に力を入れているが、経済発展に結び付くには時間がかかる。

中台関係では、蔡氏は現状維持を掲げ、中国を挑発しない姿勢を貫いているため、緊迫した状況にはなっていない。だが、中国は蔡氏が「一つの中国」原則を認めないことを理由に、交流窓口機関や政府間の協議に一切応じず、対話は中断したままだ。

中国は報復措置として、旅行社を通じて中国人団体観光客の台湾訪問を抑制するようになった。台湾を訪れる中国人観光客は、二〇一六年は三四七万人にとどまり、二〇一五年の四一四万人から六七万人も減少した。二〇一七年に入っても、前年同月比三〇〜五〇パーセント減の状態が続いている。

政治的な圧力も加えている。二〇一六年十二月には、西アフリカのサントメ・プリンシペが台湾と断交し、五日後に中国と国交を結んだ。台湾の国際機関への参加が阻まれるケースも相次いでおり、この一年間、国際民間航空機関（ＩＣＡＯ）や国際刑事警察機構（ＩＣＰＯ）、ＷＨＯなどの総会に参加することができなかった。総統府や外交部（外務省）は抗議声明を発表しているが、台湾では閉塞感が漂い始めている。

外交面では、蔡氏は二〇一六年十二月のトランプ氏との電話会談で得点を稼いだかたちとなったが、トランプ政権はこのところ北朝鮮への対応をめぐって中国との協調路線を強めている。蔡氏は二〇一七年四月のロイター通信のインタビューで、「またトランプ大統領と電話会談を行うこともあり得る」と述べたが、トランプ氏は「今、習近平国家主席が困難に陥るようなことはしたくない」とつれない態度だった。

このように蔡政権が政権浮揚のてこを探しあぐねているのに、最大野党・国民党もなかなか党勢を回復できない。五月二十日に行われた党主席選で呉敦義《ごとんぎ》前副総統が当選し、八月に就任するが、政党支持率は低水準で推移しており、蔡政権を追い込む態勢は築けていない。

蔡氏は就任一年に当たり、「一年目にもっとも困難な改革を進めてきた。世論調査の観点からはベストの選択ではないが、私は世論調査のためではなく、台湾のために仕事をしている」（台湾『中央通信』二〇一七年五月十九日）と述べ、現在は改革達成への過渡期にあるとの認識を示した。ただ、二〇一八年には統一地方選が控えており、目に見える実績を挙げ、住民の期待をつなぎ留めることができなければ、厳しい審判が下されるかもしれない。

行政院長交代で図る政権浮揚

台湾の行政院長に二〇一七年九月八日、台南市長だった頼清徳《らいせいとく》氏が就任した。頼氏は独立志向が強く、中台関係への影響が注目されるが、内政の混乱で支持率が低迷する蔡英文総統は、高い人気を誇る頼氏の起用でてこ入れを図った。

頼氏は米ハーバード大学で修士号を取得した元医師で、立法委員を経て二〇一〇年から台南市長を務め、二期目に入っていた。二〇一六年二月の台南地震での危機対応が住民から高い評価を受けるなど指導力には定評があり、「頼神」と称される与党・民進党のホープだ。「ポスト蔡」の呼び声が高く、市長時代に一〇回以上訪日したことがある親日家としても知られる。

前行政院長の林全氏は経済学者だっただけに、経済運営の手腕に期待が集まったが、労働規制改革などが難航し、八月には大規模停電が起こって経済部長（経済相）が辞任するなど、成果を出せずにいた。

蔡政権への失望感が深まり、ＴＶＢＳが八月に行った世論調査では、蔡氏に対する満足度は二四パーセントにとどまり、不満足は五八パーセントに上っていた。林氏の満足度は一八パーセント、不満足は五九パーセントとさらに悪く、蔡氏は政権浮揚に向けた対策を迫られていた。

新行政院は閣僚二人が交代しただけで、ほぼ旧布陣を引き継いだ。二〇一八年には統一地方選が控えており、蔡氏は頼氏のリーダーシップで内政を立て直し、局面を打開したい考えだ。

台南市長時代には自らを「親中愛台（中国と親しくし、台湾を愛する）」と称したこともあった頼氏だが、九月二十六日の立法院での質疑で「私は台湾独立を主張する政治家だ。われわれは中華民国という名の主権独立国家である」と発言し、中国が強く反発するなど、中台関係は波乱含みの展開となる兆しを見せている。

林氏の行政院長在任は一年三カ月あまりで短いように思えるが、台湾初の政権交代が実現した二〇〇〇年以降に就任した林氏まで延べ一三人の行政院長の平均在任期間は一年四カ月だ。民進党の陳水扁政権で游錫堃《ゆうしゃくこん》氏が三年、国民党の馬英九政権で呉敦義氏（現同党主席）が二年五カ月務めたほかは、いずれも二年持っていない。

これは台湾の政治制度が影響している。行政院長は総統によって任命され、総統の施政方針を執行する立場だ。行政トップとして立法院に責任を負い、立法院は行政院長に対して不信任決議権を持つ。

こうした仕組みにより、政権がうまくいかない場合、行政院長がスケープゴートとして首を切られやすい構造になっているのだ。馬政権の最初の行政院長だった劉兆玄《りゅうちょうげん》氏も、台風被害対応の不手際で批判が高まったため、二〇〇九年九月、在任一年三カ月あまりで内閣総辞職に追い込まれている。

このため、行政院長には「総統の補佐役」というイメージがつきまといやすい。これはトップをねらうにはプラスに働かない場合が多く、二〇〇〇年以降に行政院長を経験した後、総統選に出馬したのは二〇〇八年の謝長廷氏（民進党）だけだ。

しかし、行政院長は政府の予算や人事権を握るなど制度上は大きな権限を持っており、一九七二年から一九七八年まで行政院長を務めた蔣経国《しょうけいこく》氏（国民党）は実質的な最高指導者だった。二〇〇四年の総統選で国民党の総統候補だった連戦《れんせん》氏は、副総統候補に親民党の宋楚瑜氏を指名し、当選すれば宋氏に行政院長を兼務させるとの見方が強かった。結局、僅差で敗れたが、やり手政治家の宋氏が行政院長に就いていていたら、総統より目立つ存在になっていただろう。

蔡氏は二〇一七年九月二十四日に開かれた民進党の党大会で、「政府の分担をはっきりさせ、より効率的な体制にすることを人民は望んでいる」と述べ、総統と行政院長の権限見直しも含め、党内で憲法改正の議論を進める意向を表明した。

新行政院発足後にＴＶＢＳが行った主要政治家の人気調査では、頼氏の満足度は五八パーセントで、蔡氏の三一パーセントを大きく上回った。頼氏が活躍すれば、政権の支持率は回復するだろうが、相対的に総統の存在感が薄れてしまうというジレンマがある。蔡氏が再選をめざす公算が大きい二〇二〇年の総統選に向け、蔡頼コンビは微妙なバランスを取っていくことになるだろう。

民進党大敗で不透明化する政局

台湾政界の行方を占う統一地方選が二〇一八年十一月二十四日行われ、与党・民進党は予想を上回る大敗を喫した。県市長ポストを現有の一三から六に減らし、焦点だった南部・高雄市長選と中部・台中市長選でも最大野党・国民党に敗れた。有権者からノーを突きつけられた蔡英文総統は党主席を辞任、厳しい政権運営を迫られ、二〇二〇年の次期総統選も不透明化してきた。

今選挙を象徴するのが、国民党内でも非主流派で、泡沫に近い扱いから一大ブームを巻き起こし、高雄市長選を制した韓国瑜《かんこくゆ》氏だ。同市は民進党の牙城で、一九九八年以来、市長の座を守ってきた。今回、同党から出馬した陳其邁《ちんきまい》氏は立法委員や総統府副秘書長（官房副長官）などを歴任したエリート政治家で、当初は楽勝とみられていた。

韓氏は北部・新北市の外省人（中国出身者）の家庭に生まれ、現在六十一歳。立法委員などを経て、半官半民の台北の青果市場会社社長を務めた。その後、国民党主席選に出馬したこともあるが、六人中四位で落選するなど目立たない存在だった。

高雄市とは縁もなく、ＳＮＳ（交流サイト）を駆使するユニークな選挙戦を展開していたが、庶民受けする語り口やトレードマークの薄い頭髪をネタにしたかけ合いの動画などが繰り返し拡散されて話題を呼び、テレビのバラエティー番組にも出演するようになった。

十月には世論調査でも陳氏を逆転し、韓国のドラマや音楽などの流行を意味する「韓流」が、韓氏の人気爆発ぶりを指す用語としてメディアに頻出するようになった。他の選挙でも、候補と韓氏のツーショットのポスターがあちこちに掲げられるなど国民党の選挙情勢を底上げし、県市長ポストを現有の六から一五に増やす立役者となった。

民進党は台中市長選でも、現職の林《りん》佳《か》龍《りゅう》氏が国民党の盧《ろ》秀燕《しゅうえん》氏に敗れた。林氏も民進党で要職を経験しており、二〇一四年の前回選挙で一三年間市長に君臨した国民党現職を下し、将来を嘱望される有望株だった。

台北市長選では、無所属の柯《か》文《ぶん》哲《てつ》氏が国民党候補を得票率〇・二三ポイント差の大接戦の末に破って再選を果たした。民進党は、前回は柯氏を支援したが、対中政策などで政治姿勢の違いが目立つようになってきた。今回は対抗馬を送り込んだものの、大きく引き離された。

結局、行政院直轄六市（台北、新北、桃園、台中、台南、高雄）で民進党は二ポストしか取れず、国民党の三ポストを下回った。二二県市長選全体の得票率でも民進党は三九パーセント（前回四七パーセント）にとどまり、四九パーセント（同四一パーセント）の国民党に差をつけられた。

前回は国民党の馬英九政権の対中接近策への警戒感が高まるなかで行われ、同党は大敗した。馬氏は党主席辞任に追い込まれ、二年後の総統選での民進党勝利の流れが固まった。

今回は逆に、蔡政権が取り組む政策への不満が民進党大敗を招いた。経済では二パーセント台の成長率を維持しているものの、若者の失業率は高止まりし、住民は豊かさを実感できていない。

中台関係の悪化で、台湾を訪れる中国人観光客は大幅に減少し、観光業界は悲鳴を上げている。中国による台湾の農水産品の買い付けも縮小し、民進党の地盤である南部の農水産業者の支持離れも起きた。

蔡政権は年金や労働法制などの改革にも力を入れてきたが、各方面に気を使うあまり中途半端になり、賛成・反対派双方から批判が出ていた。

外交でも、国交を持つ五カ国を中国に切り崩され、一七カ国にまで減った。ＷＨＯなど馬政権時代には参加していた国際機関からも締め出されたままだ。それでも、現状維持を唱えて中国を挑発しないよう努める蔡氏に、「弱腰すぎる」との失望感が高まっていた。

統一地方選と同時に実施された計一〇件の住民投票で、蔡政権が看板政策として進める脱原発や同性婚認可に反対する案件が成立するなど、リベラル路線への不信任も示された。地方では、こうした路線を嫌悪する支持者も多く、民進党色を前面に出したい政権と支持層のあいだに溝が広がっていた。

選挙大敗を受け、求心力が大幅に低下した蔡政権が残る任期一年半、レームダック（死に体）化するのは避けられない。二〇二五年までの原発完全停止の目標は変えないとしているが、同性婚認可や国民党一党独裁時代の人権侵害を究明する「移行時の正義」などの政策を計画どおり推進するのは難しいだろう。

また、韓氏は当選後、高雄市は「一つの中国」原則を前提とした中台の「九二年合意」を尊重し、中国との交流強化に乗り出す方針を表明している。中国は蔡政権や民進党との対話は拒否する一方、国民党が首長の県市との交流には力を入れる構えで、対中関係をめぐって台湾社会が分断される構図が鮮明になりそうだ。

こうした状況のなか、台湾政界の関心は総統選に移っている。民進党は蔡氏が再選をめざすのが既定路線だったが、今回の大敗で「蔡氏では戦えない」との声が上がる可能性が高い。その場合、頼清徳行政院長らが候補に浮上するとみられるが、頼氏も選挙敗北の責任を負う立場で、候補者選びが難航するのは必至だ。

国民党は党勢を回復したものの、呉敦義主席は七十歳と高齢のうえ、大衆的人気に欠ける。韓氏人気は際立ったが、主流派とは距離があり、政治家として業績を上げるのはこれからだ。前回総統選に出馬した朱立倫・新北市長らも含め、党内の争いが激化するだろう。

柯氏は台北市長選で再選されれば、総統選候補レースに名乗りを上げるとの観測もあった。だが、国民党候補に激しく追い上げられたことで、一期目ほどの勢いはなくなったとの見方が広まっている。

対日関係にもマイナスの影響がある。福島など日本の五県産食品の輸入禁止継続の是非を問う住民投票が賛成多数で成立し、少なくとも今後二年間は五県産食品の輸入は認められないことになった。台湾政府に輸入解禁を求めていた日本政府には受け入れ難い結果で、河野太郎外相が世界貿易機関（WTO）への提訴を検討する考えを明らかにするなど、日台間のとげとなっている。

3　総統選再選に向けた道のり

始まった党内レース

台湾総統選が二〇二〇年に迫り、与野党ともに候補者選びの党内レースが始まった。二〇一八年十一月の統一地方選で大敗した与党・民進党では、蔡英文総統が再選に意欲を見せる一方で、蔡氏を支えてきた頼清徳行政院長が辞任し、出馬の機会をうかがう。野党・国民党も候補者一本化の着地点はまだ見えない。通常なら六月ごろまでに各党の公認候補が出そろうが、今回は不確定要素が多く、党内の駆け引きが激しさを増しそうだ。

　民進党は一月六日に行った党主席選挙で、前行政院秘書長の卓栄泰《たくえいたい》氏が元党副秘書長（副幹事長）の游盈隆《ゆうえいりゅう》氏を大差で破った。統一地方選の結果を受けて辞任した蔡氏の後任として一月九日に就任したが、卓氏は蔡氏に近い主流派で、自身は総統選には出馬せず、蔡氏の再選を支援する構えだ。

　蔡氏は一月五日に開いた記者会見で、総統選について「どんな総統も、やりたいことを実現するのに十分な時間がほしいものだ」と述べ、出馬への意欲を示した（『毎日新聞』二〇一九年一月六日朝刊）。統一地方選大敗のダメージは回復しきれていないものの、年末以降、苦手としてきたメディアとの会見を積極的にこなすなど巻き返しを図っている。

　中国の習近平国家主席が一月二日に包括的な台湾政策を発表し、「一国二制度」による統一を訴えたのに対し、蔡氏が即座に「絶対に受け入れられない」と強く反論すると、ＳＮＳで毅然とした対応を称賛する書き込みが増えた。蔡氏の談話は多くの言語に訳されて発信され、海外でも共感が広がった。中国の圧力を追い風に変えようと、周到に準備していたことをうかがわせる。

　一月十一日には頼氏が率いる行政院が総辞職し、頼氏の後任の行政院長には、陳水扁政権時代に行政院長や民進党主席などを歴任した党重鎮の蘇貞昌《そていしょう》氏が就任した。閣僚の多くは留任したが、蘇氏本人に加え、新任の行政院副院長（副首相）に陳其邁氏、交通部長（交通相）に林佳龍氏と、統一地方選で国民党に敗れた候補者が相次いで要職に就いたことから、「負け組連盟」と揶揄《やゆ》する台湾紙もあった。

　頼氏は従来、二〇二〇年の総統選は副総統候補として蔡氏とコンビを組み、二〇二四年の選挙で総統候補に名乗りを上げるのではないかとの観測が一般的だった。だが、蔡氏の出馬が不透明になったことで、蔡氏と距離を置き、次の総統選に挑む環境を整えるために行政院長を辞任したとみられている。ただ、統一地方選の敗北には頼氏も責任を負う立場であり、公認候補の座を勝ち取るのは容易ではない。

国民党では、二〇一六年の前回総統選で蔡氏に敗れた朱立倫・前新北市長が年末にいち早く再挑戦の意向を表明した。党主席として統一地方選を勝利に導いた呉敦義氏も立候補の準備を進めている。馬英九前総統や王金平《おうきんぺい》前立法院長（国会議長）の名前も取りざたされている。これに対し、統一地方選で党勢回復を果たした最大の立て役者である韓国瑜・高雄市長はメディアの取材に、出馬する考えはないと述べている。

最大の不確定要素は、柯文哲・台北市長の動向だ。無所属とあって基盤は弱く、民進党や国民党に対抗しての出馬は難しいとの見方が強いが、大衆的人気は高く、打って出る舞台が整えば、総統選の主役に躍り出る。今のところ、出馬については態度を明らかにしておらず、ぎりぎりまで情勢を見極めるとみられる。

ＴＶＢＳが一月二十二日に公表した二〇二〇年の総統選に関する世論調査結果によると、「蔡・朱・柯」の対戦となった場合、支持率は柯氏が三六パーセントとトップで、朱氏が三〇パーセントで迫り、蔡氏は一五パーセントにとどまる。「蔡・呉・柯」だと柯氏が四五パーセントと圧勝の勢いで、蔡氏（一七パーセント）、呉氏（一三パーセント）を寄せつけない。「頼・朱・柯」では柯氏三三パーセント、朱氏二九パーセントと競り合い、頼氏が二一パーセントで続く。「頼・呉・柯」では柯氏が四三パーセントと断トツで、頼氏（二一パーセント）、呉氏（一一パーセント）に大差をつける。国民党候補を王氏にした調査結果もあるが、いずれも柯氏の独り勝ちだ。

また、政治大学と米デューク大学が一月十四日に発表した共同世論調査結果では、「蔡・朱・柯」の争いになると、柯氏が三八・七パーセントの支持率を集め、朱氏（二一・五パーセント）と蔡氏（一五・三パーセント）を引き離した。

これらの結果からは、現時点では柯氏がリードし、朱氏が追い上げ、民進党は苦戦を強いられている状況が浮かび上がる。柯氏が不出馬なら、柯氏支持票の行方が勝敗の鍵を握ることになる。互いに相手の態勢や柯氏の動きをにらみながらの候補者選びを迫られるだろう。

民進党候補に蔡英文氏

二〇二〇年一月に行われる台湾総統選の与党・民進党の公認候補に、蔡英文総統が選出された。蔡氏は二〇一八年十一月の統一地方選で大敗するなど人気が低迷していたが、香港で行われた大規模な「逃亡犯条例」改正反対デモの影響で台湾でも反中意識が高まり、支持率は急回復している。野党・国民党は七月中旬に決定するが、親中路線の変更を迫られている。

民進党は蔡氏と頼清徳前行政院長の一騎打ちとなり、六月十〜十二日に有権者約一万六〇〇〇人を対象に世論調査を実施した。蔡氏の支持率は三五・六パーセントで、頼氏（二七・四パーセント）に八ポイント以上の差をつけた。民進党の予備選は世論調査の結果のみで競うため、これにより蔡氏の本選出馬が決まった。

ただ、民進党は本来、四月十七日に世論調査を行うことにしていた。この時点では、メディアなどの世論調査では頼氏の支持率が上回っていたため、党執行部は頼氏に立候補辞退を働きかけてきた。党執行部は頼氏に撤退の意思のないことがわかると、世論調査を先送りしたうえ、当初は固定電話だけとしていた世論調査の手法を、半分は携帯電話で行うよう規則を変更した。蔡氏の支持層は若者が多いためで、なりふり構わず蔡氏を勝たせようとするやり方に、頼氏陣営は強く反発した。

実際に、党予備選を延ばす間に、蔡氏に有利な状況が生まれた。米中対立に伴って米国が台湾支援の姿勢を明確にしたことや、同性婚容認法が成立して公約を実現させたことなど、現職として実績をアピールする機会に恵まれた。

また、香港で六月九日、中国本土に刑事事件の容疑者を引き渡せるようにする「逃亡犯条例」の改正案に反対する大規模なデモが行われ、台湾でも「一国二制度」への反感が広がった。

蔡氏は一月に中国の習近平国家主席が「一国二制度」による台湾統一を呼びかけた際、「絶対に受け入れられない」と強く反論し、毅然とした態度に支持が集まった。党の世論調査は、蔡氏が予想以上の差で勝利しており、予備選と並行して繰り広げられた香港のデモは大きな追い風となったようだ。

一方、国民党は六月十日、公認候補を決める党予備選への参加者を発表し、韓国瑜・高雄市長、EMS（電子機器の受託製造サービス）世界最大手・鴻海《ホンハイ》精密工業創業者の郭台銘《かくたいめい》氏、朱立倫・前新北市長、周錫瑋《しゅうしゃくい》・元台北県長、張亜中《ちょうあちゅう》・孫文《そんぶん》学校校長の五人が候補者となった。名乗りを上げていた有力者のうち、王金平前立法院長は出馬を取りやめた。今のところ、韓氏と郭氏がトップを争う展開になっている。

韓氏は四月に「現行制度の予備選には参加できない」と宣言したが、党執行部は党員投票をせず、世論調査のみで候補者を決める方式に変えた。韓氏は二〇一八年十二月に高雄市長に就任したばかりで、自ら出馬を表明すると「市政投げ出し」との批判を浴びることは避けられなかった。（＊1）党執行部は、韓氏を世論調査の対象に加えることで、受動的に出馬できる態勢を整えたが、他候補からは韓氏優遇に不満の声も出ている。

さらに、無所属の柯文哲・台北市長は総統選出馬について「準備はしているが、実際に行動に移すとは限らない」（『朝日新聞』二〇一九年五月十五日朝刊）と述べており、国民党の候補決定を待って判断するとみられる。民進党にも国民党にも満足できない有権者を取り込む第三勢力として臨む構えだ。

ＴＶＢＳが六月二十二日に公表した世論調査結果によると、「蔡・韓・柯」の対決だと、支持率は蔡氏が三七パーセントで、韓氏二九パーセント、柯氏二〇パーセントを引き離す。「蔡・郭・柯」の組み合わせだと、蔡氏三五パーセント、郭氏二四パーセント、柯氏二一パーセントとやはり蔡氏が優位に立つ。韓氏、郭氏ともここへきて対中強硬姿勢を強調するなど、国民党候補は対中融和戦略の修正を余儀なくされている。


（＊1）韓氏は総統選終了後、住民投票で解職された。第1章4「高雄市長の解職が成立」参照。

国民党候補は韓国瑜氏に

台湾の最大野党・国民党の総統選候補に、韓国瑜・高雄市長が選ばれた。これで、総統選は与党・民進党の蔡英文総統と韓氏が対決する構図が固まった。ただ、柯文哲・台北市長も出馬の構えを見せており、三つどもえの戦いが現実味を帯びている。二〇二〇年一月十一日の投開票日まで、予断を許さない展開が続きそうだ。

国民党は七月十五日、総統選候補を決める五種類の世論調査を実施した結果、韓氏の平均支持率が四四・八パーセントでもっとも高く、党内予備選に勝利したと発表した。五人の立候補者のうち、事実上の一騎打ちとみられた郭台銘・鴻海精密工業前会長は二七・七パーセントにとどまり、韓氏に大差をつけられた。

結果を受け、韓氏は「『台湾安全　人民有銭（台湾に安全を、住民にお金を）』を目標に、二十一世紀の新しい台湾の奇跡を生み出したい」と抱負を語った。

党内予備選で、鴻海を一代で世界的な企業に育て上げた郭氏は、豊富な資金力でテレビや新聞で大量の広告を打ち、韓氏を猛追との観測が流れた。しかし、鴻海の工場のほとんどが中国にあることから、中国との関係の緊密さに対する懸念が広まったとみられ、予想以上の差で敗れた。

韓氏も「一つの中国」原則を前提とした中台の「九二年合意」を認め、中台関係を改善して経済発展を図るべきだと訴えてきた。三月には中国広東省などを訪れ、中国国務院台湾事務弁公室の劉結一《りゅうけついち》主任と会談するなど、やはり親中派のイメージが強い。

二〇一八年十一月の統一地方選では、そうした主張が広範な支持を得てブームを巻き起こした。だが、六月以降、香港で「逃亡犯条例」改正案に反対する大規模なデモが相次いだことで、中国が台湾に呼びかける「一国二制度」による統一に、台湾でも反発が広がった。

香港のデモについて、韓氏は「よく知らない」と発言して批判を浴びたため、「一国二制度」に反対を表明するなど、防戦に追われた。蔡氏は「一国二制度」に強く反対する姿勢を前面に押し出すことで、統一地方選大敗で失墜した支持率を回復している。

台湾メディアは、国民党の候補が党色の強い韓氏に決まったことで、柯氏の出馬の可能性が高まったと報じている。柯氏は、民進党や国民党など既存の政党に飽き足りない有権者の受け皿になるのが基本戦略だからだ。

ただ、韓氏は青果市場会社の社長という経歴から「八百屋のおやじ」と自称し、党内予備選でも

「庶民総統」を掲げるなど、大衆的な親しみやすさを売り物にしている。「台湾大学法学部卒の三人の総統が台湾経済を駄目にした」と、国民党の馬英九氏も含めてやり玉に挙げ、非エリートの立場を強調する。

格差拡大に不満を募らせる中低所得層を支持基盤にする韓氏の戦略は、米中西部の「ラストベルト(錆びついた工業地帯)」で支持を得るトランプ大統領に似て、「階級闘争」とも呼ばれる。民進党、国民党を問わず、これまでにないタイプの総統選候補者で、ともに台湾大学卒でエリート層に属する蔡氏や柯氏も、韓氏のペースに乗せられると不利な戦いを強いられる。韓氏は「蔡政権では暮らしはよくならない」と訴え、分の悪い対中関係を避け、内政問題で蔡政権批判を強める構えだ。

TVBSが七月十七日に公表した世論調査結果によると、蔡氏と韓氏の対戦となった場合、韓氏の支持率は四八パーセント、蔡氏は四四パーセントで、接戦ながら韓氏がリードしている。柯氏が参戦した場合、韓氏が四〇パーセントでトップに立ち、蔡氏二八パーセント、柯氏二七パーセントを引き離しているが、このところ支持率は目まぐるしく変化しており、混戦状態が続くとみられる。

二大政党一騎打ちの構図が固まる

二〇二〇年一月十一日の投開票まで三カ月足らずとなった台湾総統選は、二大政党による事実上の一騎打ちとなる構図がほぼ固まった。出馬が取りざたされていた鴻海精密工業前会長の郭台銘氏と柯文哲・台北市長が、ともに見送る方針を打ち出したためだ。再選をめざす与党・民進党の蔡英文総統を、最大野党・国民党の韓国瑜・高雄市長が追う展開となる。

候補者選びは、民進党は六月、国民党は七月に党内予備選を行い、それぞれ独自の世論調査の結果に基づいて決めた。

注目を集めたのは、国民党の予備選で敗れた郭氏と、同氏との連携を模索する柯氏の動向だった。二人は国民党の王金平前立法院長を調整役にして会合を重ね、どちらかが「第三の候補」として名乗りを上げるとの見方が強まっていた。

無所属や直近の国政選挙で得票率五パーセント以上の実績がない政党から出馬する場合、九月十七日までに中央選挙委員会に届け出たうえで、十一月二日までに有権者の一・五パーセントに当たる約二八万人分の署名を集めて提出しなければならない。

届け出の期限が迫るなか、郭氏は九月十二日に国民党を離党し、「大きな仕事をする準備をしている」と、出馬に強い意欲を示した。だが、同十六日になって、一転して、無所属での立候補はしないとの声明を発表した。郭氏は声明で「参戦して以来、政治家の私利や恨み、対立、ポピュリズムなどを見てきた。理性的な政策論争に戻るべきだ」と、党内で泥仕合が演じられたことをにおわせた。

馬英九前総統や呉敦義主席ら国民党の重鎮三一人は、郭氏の出馬によって国民党支持票が割れることを懸念し、韓、郭両氏に協力を求める意見広告を九月十二日付の新聞に掲載した。郭氏は、こうした状況では、無所属で出ても勝ち目はないと判断したようだ。

柯氏は八月に台湾民衆党（民衆党）を結党し、総統選出馬への足場固めとの観測が広まった。しかし、柯氏も「台北市政と総統選は両立できない」として、署名集めの届け出はしなかった。

郭氏と柯氏が不出馬なら、民進党と国民党の支持票はそのまま蔡氏、韓氏に投じられる公算が大きい。ＴＶＢＳが九月十一日に公表した世論調査結果によると、蔡・韓対決となった場合、支持率は蔡氏が四九パーセントで、四二パーセントの韓氏をリードする。

総統選をにらんで、中国は八月から台湾への個人旅行を禁止したほか、九月には南太平洋のソロモン諸島、キリバスと相次いで国交樹立に動いて台湾との断交に追い込むなど、蔡氏への圧力を強めている。

これに対し、米国は八月、台湾へのF16戦闘機売却を決めるなど、蔡氏に肩入れする姿勢を鮮明にしており、選挙戦は米中関係の行方にも左右されそうだ。

4　追い風受けて疾走した二期目

「一国二制度」にノーを突きつけた総統選

二〇二〇年一月十一日に投開票された台湾総統選で、現職の与党・民進党の蔡英文氏が最大野党・国民党の韓国瑜・高雄市長と野党・親民党の宋楚瑜主席を大差で破って再選を果たした。香港で中国との「一国二制度」に対する抗議デモが長期化するなか、台湾総統選も対中姿勢が最大の争点となったが、台湾の有権者は「一国二制度」にはっきりとノーを突きつけた。

「今日の選挙で、台湾人は中国の脅威にさらされても、主権と民主を堅持していく決意を示した。北京当局は、台湾はいかなる脅しや恫喝《どうかつ》にも屈しないことを理解すべきだ」

当選が確定した午後九時ごろから、台北市内の選挙本部で開かれた記者会見で、蔡氏は強い調子で訴えた。「『一国二制度』は受け入れることはできない」とも述べ、中国への対決姿勢を鮮明にした。

会見では固い表情を崩さなかったが、続いて午後一〇時前から選挙本部前の特設会場で行われた勝利集会では、時折冗談も交え、にこやかな笑顔を浮かべるなど、余裕を感じさせた。会場では「総統加油（頑張れ）！」といった大歓声が巻き起こり、蔡氏の演説はたびたび中断した。会場には香港から来たグループも陣取り、何度も台湾の支持者とエール交換を行うなど、連帯を表明した。

蔡氏の得票率は五七・一三パーセントで、事実上の一騎打ちとなった韓氏の三八・六一パーセントを一八ポイントあまり上回り、八一七万二三一票の得票数は過去最多だった。

同時に実施された立法委員選（定数一一三）でも、民進党は六一議席を獲得し、過半数を制した。国民党は三八議席にとどまり、注目された第三勢力も柯文哲・台北市長が率いる民衆党が五議席、前回選挙で五議席を占めた時代力量は二議席減らして三議席と、予想されたほどには伸びなかった。

今回の選挙は、年代による支持の違いも目についた。韓氏は一月九日、蔡氏は翌十日にそれぞれ台北市の総統府前で数十万人規模の決起集会を開き、私も現場で取材したが、韓氏の集会では年配者が多かったのに対し、蔡氏の集会では若者の姿が目立った。

民主化が定着した時代に生まれ、「台湾は独立した国家」と当たり前に思っている若者層は、中国に毅然と立ち向かう蔡氏を支持する傾向が強い。台北市の中国文化大学准教授で韓氏陣営の顧問を務めた荘伯仲《そうはくちゅう》氏は「蔡政権の同性婚法制化や反原発などのリベラルな政策は若者に歓迎されている」と分析する。投票率は七四・九パーセントで、前回の六六・三パーセントより八ポイント以上高かったのも、多くの若者が投票に行ったためとみられる。

五月二十日からスタートする二期目も、多数与党として「完全執政」を手にした蔡氏だが、政権運営は難問が待ち受けている。一期目で、経済面での中国依存を低下させるため、東南アジアやインドなどとの関係を強化する「新南向政策」を進めたが、二〇一九年の輸出額のうち中国向け（香港向けも含む）は四〇・一パーセントに上り、蔡政権がスタートした二〇一六年からほとんど変わっていな

総統選の当選決定を受け、勝利演説する蔡英文氏（中央)。時折、笑顔も見せた。(2020年1月11日、台北市)

2020年台湾総統選結果

政党	総統候補者	副総統候補者	得票数(票)	得票率(%)
民進党	蔡英文	頼清徳	817万0231	57.13
国民党	韓国瑜	張善政	552万2119	38.61
親民党	宋楚瑜	余湘	60万8590	4.26

出典：台湾中央選挙委員会

2020年台湾立法委員選結果

政党	獲得議席数
民進党	61
国民党	38
民衆党	5
時代力量	3
その他	6
合計	113

出典：台湾中央選挙委員会

い。二〇一九年十一月時点の台湾の海外投資累計額も対中国が五六・七パーセントを占めるなど、「脱中国」政策は道半ばだ。

一期目の就任演説で掲げた、受託生産モデルに代わる新しい基幹産業の育成や若年層の高い失業率の改善なども、まだ成果は出ていない。

立法委員選の比例区の得票率は、民進党三三・九八パーセント、国民党三三・三六パーセントと拮抗しており、蔡政権に対する評価が必ずしも高くはなかったことをうかがわせた。対中関係でも、蔡氏は勝利演説で「平和、対等、民主、対話」の方針で臨むと述べたが、中国は台湾にさらなる強硬策に出てくる可能性が強く、どのような対中政策を打ち出していくのかが問われる。山積する課題に適切に対処していかなければ、統一地方選のときのように、住民の不満が噴き出す事態もあり得る。

現状維持路線は継続

二〇二〇年一月の台湾総統選で当選した蔡英文氏の就任式が五月二十日、台北市内で行われた。新型コロナウイルス感染拡大の影響で、例年に比べ式典の規模は縮小されたが、防疫対策が世界で称賛を浴び、台湾の存在感が高まる追い風のなかでの二期目の政権スタートとなった。就任演説で蔡氏は、中国が求める「一国二制度」による統一をあらためて拒否し、現状維持路線を継続する姿勢を示した。

総統就任式には例年、海外から多数の来賓が参加していたが、二〇二〇年はビデオ方式に切り替え、四七の国と国際組織の計二六三人が祝賀メッセージを寄せた。会場も就任宣誓式は恒例どおり総統府で執り行ったが、就任演説は近接する台北賓館に場所を移し、出席者が距離を置く配置で実施し

国民党・韓国瑜氏の総統選決起集会で気勢を上げる支持者たち（2020 年 1 月 9 日、台北市）

民進党・蔡英文氏の総統選決起集会で声援を送る支持者たち（2020 年 1 月 10 日、台北市）

た。

台北賓館では、米国のポンペオ国務長官の祝賀声明が紹介され、米台関係の緊密さが強調された。台湾外交部によると、米国務長官が台湾総統就任に正式に祝意を表すのは初めてという。ポンペオ氏は蔡氏を「プレジデント（総統）」と呼び、「米国と台湾とのパートナーシップは今後も進展していく」とエールを送った。

午前一〇時過ぎから約三〇分間にわたった蔡氏の就任演説は、「このところの感染症対策の成功により、『台湾』の名が世界の主要メディアで報じられている」と誇示するなど、感染封じ込めで成果を挙げた自信にあふれた内容となった。

蔡氏はコロナウイルスの流行によって世界のサプライチェーンが再編され、経済の勢力図が書き換えられたとの認識を披露し、「こうした変化は、チャンスでもある」とコロナ後の世界情勢で台湾が有利な位置を勝ち取ることに意欲を見せた。

対中関係では、「北京当局が『一国二制度』をもって台湾を矮小化し、台湾海峡の現状を破壊することは受け入れられない」と訴えた。同時に、一月の総統選での勝利宣言と同様に「平和、対等、民主、対話」を原則として掲げ、「中華民国（台湾）憲法に従って両岸（中台）業務を行う」との従来どおりの見解も述べ、現状維持路線を堅持する方針を表明した。

四年前の一期目の就任演説では、「一つの中国」を前提とする中台間の「九二年合意」について、「双方が共通の認知と了解に達したという歴史的事実を尊重する」と一定の評価をするなど中国側への配慮が目立った。だが、今回は対中関係への言及も少なく、中台関係が冷却化したままの現状を反映したかたちとなった。

これに対し、中国国務院台湾事務弁公室の馬暁光報道官は「民進党は両岸関係の平和発展の政治的基礎を一方的に壊した」と批判するコメントを発表した。中国側は同弁公室と外務省に加えて、国防省もポンペオ氏の祝賀声明に対し、「中国への内政干渉であり、台湾海峡の平和と安定に厳重な損害を与える」と非難した。台湾メディアは、台湾問題で三機関がそろってコメントを発表するのは異例のことだと指摘している（台湾紙『中国時報』電子版、二〇二〇年五月二十日）。

中国は五月十八、十九日に行われたＷＨＯ年次総会で、国際社会で支持が高まっていた台湾のオブザーバー参加を認めなかった。李克強《りこくきょう》首相は同二十二日に開幕した全国人民代表大会（全人代）の政府活動報告で「台湾独立をもくろむ分裂行動に断固として反対し、食い止める」と警告しており、蔡政権二期目も対話には応じず、軍事、外交、経済など各方面で台湾に圧力をかけていく構えのようだ。

二期目の蔡政権にとって、最大の課題はコロナ終息後の経済立て直しだ。蔡氏は就任演説で、(1)情報デジタル関連産業、(2)情報セキュリティー産業、(3)バイオメディカル産業、(4)国防戦略産業、(5)グリーン電力と再生可能エネルギー産業、(6)鍵となる物資の供給を確保する民生・戦備産業――を「六大核心戦略産業」として育成していく考えを明らかにした。

ただ、一期目で目玉政策として進めてきた東南アジアやインドなどとの経済関係を強化して対中依存度を低下させる「新南向政策」もまだ所期の目標を達成しておらず、景気浮揚に手間取れば、感染症対策で高まった蔡氏の支持率が低下する恐れもある。

また、蔡氏は就任演説で、立法院に委員会を設置して、憲法改正作業を進めていくことを約束した。まずは十八歳からの選挙権などの公民権付与（現在は二十歳から）に着手するとみられるが[*1]、中国国務院台湾事務弁公室は憲法改正は台湾独立につながりかねないとして、「台湾独立分子が危険な企てをしている」と反発しており、中台の火種になる可能性をはらんでいる。

（＊1）公民権付与年齢を二十歳以上から十八歳以上に引き下げる憲法改正案は二〇二二年三月、立法院で可決されたが、同十一月に行われた憲法改正住民投票では賛成票が必要数に達せず、不成立となった。

高雄市長の解職が成立

台湾南部・高雄市の韓国瑜市長に対するリコール（解職請求）の是非を問う住民投票が二〇二〇年六月六日行われ、賛成票が規定を満たし、韓氏は失職した。台湾で県長や市長が解職されたのは初めて。韓氏が所属する最大野党・国民党は、対中融和路線を修正して立て直しを図ろうとしているが、苦境は深まる一方だ。

韓氏は二〇一八年十一月の統一地方選で、庶民派として「韓流」と呼ばれるブームを巻き起こし、与党・民進党が二〇年間守ってきた高雄市長の座を奪還した。その勢いは他の県市長選にも波及し、国民党の党勢拡大に大きく貢献した。

翌月に高雄市長に就任した韓氏は二〇一九年七月、総統選候補に選ばれた。台湾では総統選に出馬しても市長を辞職する必要はなく、二〇一六年の総統選でも朱立倫・新北市長が現職のまま国民党候補として参戦した。

二〇二〇年一月の総統選前三カ月にわたって市長職を休職した韓氏は落選後に復帰したが、反市長派の市民が「市長職をないがしろにした」と、リコールに必要な署名を集めて市選挙委員会に提出した。

投票結果は、賛成九三万九〇九〇票、反対二万五〇五一票。賛成票が反対票を上回ったうえで、有権者数の四分の一（約五七万五〇〇〇票）以上というリコール成立の条件をクリアした。投票率は四二・一四パーセントだった。

賛成票は市長選で韓氏が獲得した八九万二五四五票を超えており、市長選では韓氏に投じながら、今回は解職賛成に回った人も多かったとみられる。投票によって首長を罷免するという「伝家の宝刀」が抜かれたことで、台湾の政治家はますます緊張感を持って職務に励まなければならなくなるだろう。

その意味で、台湾の民主主義はまた一歩成熟したとも言えるが、一方で、では、あの「韓流」とは一体何だったのかという疑問も残る。韓氏は選挙戦で「ディズニーランドを誘致する」など実現が疑わしい政策を掲げ、危うさが潜む候補であるとメディアもたびたび指摘していた。

高雄市民は長年の民進党市政下で停滞感が高まり、変革への期待が強かっただけに失望も大きかったようだ。八月十五日に実施される補欠選挙に、民進党は前回市長選で敗れた陳其邁行政院副院長の擁立を決めている。有権者は、次はどのような判断を示すのだろうか[*1]。

今回の住民投票が見せつけた民意の移ろいやすさは、政治家に短期的に成果を出さなければならないとのプレッシャーを与えるだろう。蔡英文総統も統一地方選前後は支持率二〇パーセント台に低迷していたものの、その後「一国二制度」反対や新型コロナウイルス対策が評価されて一年半で七〇パーセント台まで上昇するという民意の急激な変化を経験している。

韓氏の失職は、国民党にとって一月の総統と立法委員のダブル選での大敗に次ぐ打撃となった。ダブル選の敗北で呉敦義主席が引責辞任したことを受け、三月に行われた補欠選挙で四十八歳の立法委員、江啓臣《こうけいしん》氏が当選し、歴代最年少で党主席に就任した。

江氏は中台の「九二年合意」の見直しを訴え、改革の方向性を探ってきた。「九二年合意」は、「一つの中国」原則を確認したうえで、「その中身についてはそれぞれが解釈する」とし、国民党は「『一つの中国』とは中華民国のこと」との立場を取ってきたが、中国は「中華民国」を正式には認めていない。

国民党は六月十九日に党改革委員会全体会議を開き、対中政策について「中共当局（中国）は、中華民国は主権国家であるとの事実を尊重しなければならない。中華民国が存在しないというなら、『九二年合意』も存在しない。『一国二制度』は中華民国の主権国家としての地位を変えるものであり、拒否する」との見解を打ち出した。中国が受け入れる可能性はなく、実質的に「九二年合意」を棚上げすることになる。

しかし、これについては党内でも反対の声が上がっているうえ、中国も批判しており、「中台関係は国民党政権でないと安定しない」というセールスポイントも失ってしまう。江氏は九月の党大会で正式に党の方針とする予定だが、前途は多難だ。（＊2）

（＊1）高雄市長補欠選挙は陳氏が当選した。

（＊2）国民党は二〇二〇年九月六日に開いた党大会で、「九二年合意」の見直しは見送り、江氏は対中融和路線を継続する考えを示した。「九二年合意」の見直しには、馬英九前総統をはじめとする歴代党主席らが反対を表明していた。江氏は二〇二一年九月二十五日に行われた国民党主席選挙で元主席の朱氏に敗れた。

住民投票で信任を得る

台湾で二〇二一年十二月十八日、蔡英文政権が進める政策四件について賛否を問う住民投票が行われ、すべて支持される結果が出た。政権への信任が示されたかたちとなり、二〇二二年五月で二期目の折り返し点を迎える蔡総統には追い風となった。

住民投票は、⑴成長促進剤ラクトパミンを使った米国産豚肉の輸入禁止、⑵第四原発の稼働、⑶液化天然ガス貯蔵基地建設予定地の移転、⑷選挙と住民投票の同日実施――について是非を問うた。四件とも蔡政権の政策を修正する内容だ。最大野党・国民党が提案を主導して「すべて賛成」を呼びかけたのに対し、与党・民進党は「すべて反対」を訴え、両党とも選挙戦並みの運動を繰り広げてきた。

なかでも、最大の焦点は米国産豚肉の輸入禁止だった。蔡政権は二〇二一年一月に解禁したばかりだが、住民投票の法的拘束力は強く、政府は少なくとも二年間は結果と異なる政策を実施することはできない。賛成多数で成立し、ふたたび禁輸となると、米国の台湾に対する信用失墜は避けられないところだった。

米バイデン政権は就任以来、台湾重視の姿勢を鮮明にしており、二〇二一年十二月九、十日にオンライン形式で開いた「民主主義サミット」にも台湾を招待した。蔡政権は米台自由貿易協定（ＦＴＡ）交渉開始も見据えており、この問題で米国との関係を後退させたくないとの思いが強かった。

米国産豚肉に含まれるラクトパミンは国際的な基準値以下で、大半の国では問題視されていない。だが、台湾では食の安全に対する意識が高く、世論調査結果などから、成立する可能性が強いとみられていた。

危機感を抱いた蔡政権は政府・民進党挙げてのキャンペーンを展開して巻き返しを図った。そうした経緯があるだけに、蔡氏はツイッターに「台湾の人びとが世界に向けて歩み、国際社会に積極的に参加することを願っていることが明確になった」と投稿し、安堵《あんど》感をにじませた。

この結果に関連して注目されるのが、日本の食品の輸入問題だ。台湾は二〇一一年の東日本大震災に伴う東京電力福島第一原発事故後、福島県など五県産の食品の輸入を禁止している。二〇一八年の前回住民投票で、五県産食品の輸入禁止の是非が問われたが、賛成多数で継続されることになった。

今回の住民投票で、食の国際的な安全基準についての住民の理解が浸透したとも取れることから、蔡政権が五県産の食品の輸入解禁に踏み切るかどうか、日本政府も注視している。(*1) 台湾が申請しているTPPの加盟判断に影響するとの見方もある。

また、蔡政権は二〇二五年までの原発完全停止を掲げているが、環境対策として石炭火力から液化天然ガス発電への切り替えを加速させなければならず、北部の桃園市沿岸への貯蔵基地建設は譲れない状況だった。今回、エネルギー政策についても住民の支持が得られたことで、蔡政権は脱原発路線を維持する方針だ。

一方、国民党にとっては、朱立倫氏が九月に主席に返り咲いてから、初の大型の与野党対決イベントだった。世論の後押しが強かった米国産豚肉輸入禁止も、国民党が住民投票を「蔡政権に対する不信任投票」と位置づけたため、「蔡政権は支持するが、米国産豚肉輸入には反対」という層を取り込めなかったとみられる。住民投票が「全敗」という結果に終わったことで、党勢の退潮が浮き彫りになった。

ただ、今回の投票率は四一・一パーセントで、それほど有権者の関心が高かったとは言えない。十一月には統一地方選が控えており、与野党対立の構図は激しさを増しそうだ。

(*1) 台湾政府は二〇二二年六月、五県産の食品の輸入を解禁した。第6章2「福島など五県産の食品規制を解除」参照。

統一地方選でふたたび大敗

台湾では二〇二四年に四年に一度の総統選を控え、二〇二三年の春節（旧正月）休暇が明けると、各党の候補者選びがスタートする。夏ごろまでに候補者が決まり、選挙戦が熱を帯びる「政治の季節」に突入する。

総統選の行方を占ううえで重要な統一地方選は二〇二二年十一月二十六日に行われた。候補者死去により十二月十八日に延期された嘉義市長選を含む二二県市長選で、最大野党・国民党が一四勝し、民進党は五勝にとどまった。残るポストは第三勢力の民衆党が一、無所属が二を得た。[＊1]

全人口の約七割が集中する行政院六直轄市の市長選でも、民進党は地盤である南部の台南と高雄の二市しか押さえることができなかった。蔡英文総統は党主席を引責辞任した。

民進党の大敗は、蔡政権に不満を持つ有権者が多かったことが原因のようだ。新型コロナウイルスのワクチン入手が後手に回ったり、台湾産のワクチンが日本政府などに認められず、入国には検査の陰性証明が求められたりすることに、住民から批判が高まっていた。蔡氏は「抗中保台（中国に対抗し台湾を守る）」のスローガンで劣勢を挽回しようとしたが、効果はなかった。

統一地方選で両党の勢いの違いが鮮明になったとはいえ、総統選は対中関係などが主要な争点になるため、統一地方選の結果をそのまま当てはめることはできない。対中関係では、台湾の主体性を重視し中国との対立をいとわない民進党と、中国と協調して経済発展を志向する国民党の主張がぶつかり合うが、やはり「票を取れる候補」を擁立できるかが鍵となる。

蔡氏は総統連続二期目で、憲法の規定により次回は出馬できない。安定した支持率の蔡氏が後継指名で指導力を発揮するとみられていたが、統一地方選では蔡氏が主導して選んだ候補者が敗れたケースが目立ち、影響力に陰りが出るのは避けられない。

有力とみられているのが、大衆的人気がある頼清徳副総統だ。二〇二三年一月には、蔡氏の後任として民進党主席に就任した。世論調査でも「総統にふさわしい人物」で上位を占める。二〇二〇年の前回総統選の党内予備選で頼氏が蔡氏に挑戦したことで、二人には感情的なしこりが残っているとの指摘もあったが、蔡氏は二〇二二年末の記者会見で、後継者には頼氏がふさわしいとの考えを述べている。

統一地方選前には、国民党の地盤だった桃園市長の座を二期守った鄭文燦《ていぶんさん》氏を推す声もあった。だが、統一地方選で後継候補が敗れ、総統選出馬はきわめて厳しい情勢になった。ただ、頼氏は行政院長時代、「私は台湾独立を主張する政治家だ」と公言するなど独立色が強く、対中関係のいっそうの悪化を懸念する向きもある。公認を決めるまでには紆余曲折がありそうだ。(＊2)

一方、統一地方選大勝で弾みをつけた国民党も、総統選では決め手に欠ける。朱立倫主席が意欲を示しているものの、支持率は低迷しており、二〇一六年の総統選で蔡氏に大敗した経緯もある。

期待が高まっているのが、人口のもっとも多い新北市長選で圧勝した侯友宜《こうゆうぎ》氏だ。警察官僚出身で、安定感のある市政運営が市民から高い支持を受けているのが強みだが、中央での政治経験がない弱みもある。(＊3)

国民党では、蔣介石《しょうかいせき》元総統のひ孫の蔣万安《しょうばんあん》氏が台北市長選を史上最年少の四十三歳で勝ち抜き、一躍スポットライトを浴びた。台湾では、評価が分かれる蔣介石のひ孫というよりは、経済発展をもたらした蔣経国元総統の孫として取り上げられることが多い。メディアでは、イケメン、米国で博士号

台北市長選の勝利宣言をする国民党・蔣万安氏（中央）（2022 年 11 月 26 日、台北市）

取得、台北市長経験者といった共通点から、馬英九前総統と比較する論調も目立つ。

だが、台北市長就任前に法務部長（法相）などの要職を歴任した馬氏に比べ、蒋氏は立法委員を六年務めただけで、政治家としてのキャリアはこれからだ。今のところは「将来の総統候補」という立ち位置だろう。

総統選出馬を検討中と伝えられる民衆党の柯文哲・前台北市長が台風の目になる可能性もある（＊4）。統一地方選では、新竹市長選で高虹安《こうこうあん》氏が同党唯一の首長ポストを獲得した。高氏は鴻海精密工業出身で、創業者の郭台銘氏と関係が深い。

郭氏は前回総統選で国民党からの立候補をめざしながら党内予備選で敗退したが、総統選への関心は失っていないとも言われる（＊5）。二〇二四年の総統選を民進党が制すると、一二年間政権を担うことになり、地方は国民党が優勢でも中央は民進党という状況が定着しかねない。それだけは避けたいと、柯氏と郭氏が組んで国民党に働きかけ、

「反民進党連合」を結成するのではないかとの憶測も流れている。

初の政権交代が実現した二〇〇〇年以来、台湾では民進党と国民党の二大政党が交互に政権を担い、対中関係も対立（民進党）と融和（国民党）のあいだで揺れ動いてきた。その「振り子現象」が二〇二四年の総統選で終わり、民進党が政権を維持することになれば、中台対話は途絶えたままになり、中国が求める平和統一は遠のくばかりだ。

中国は二〇〇五年に制定した反国家分裂法で、武力行使に踏み切る条件に「平和統一の可能性が完全に喪失した場合」を挙げている。その時期かどうかの判断は習近平指導部にかかっているが、次期台湾総統選を重要な分岐点と捉えていることは間違いないだろう。

一九九六年の総統選で、中国はミサイル演習を実施し、「独立の黒幕」と非難する国民党の李登輝総統の得票を減らそうとした。それ以外の選挙でも、民進党は中国がフェイクニュースの拡散などの手法で介入したとみている。二〇二四年の総統選は東アジアの平和と安定にも大きく関わってくる。

（＊1）無所属で当選した陳福海《ちんふくかい》・金門県長が二〇二三年四月、民衆党入りしたため、県市長の所属内訳は民衆党二、無所属一となった。

（＊2）民進党の総統選公認候補を決める予備選には頼氏以外に届け出はなく、同党は二〇二三年四月十二日、頼氏を正式に公認候補に選出した。

（＊3）国民党は二〇二三年五月十七日に開いた中央常務委員会で、侯氏を総統選の党公認候補に指名した。

（＊4）民衆党は二〇二三年五月十七日、柯氏を総統選の党公認候補に決定した。

（＊5）郭氏は今回も国民党から総統選出馬をめざしたが、党執行部は侯氏を公認候補に選んだ。朱氏は世論調査の結果や党所属の県市長らの意向などから判断したと説明している。

新内閣で立て直し

台湾で二〇二三年一月三十一日、陳建仁《ちんけんじん》行政院長が率いる新内閣が発足した。蘇貞昌前内閣の総辞職に伴うもので、蔡英文総統は残り任期が一年四カ月足らずとなるなか、前副総統で側近の陳氏起用によって立て直しを図る。公衆衛生が専門の陳氏の行政トップとしての手腕は未知数だが、その執政の行方は二〇二四年一月十三日に行われる総統選にも影響する。

蘇氏は二〇一九年一月、前年の統一地方選で民進党が大敗した責任を取って頼清徳氏（現副総統）が辞任したのを受け、行政院長に就任した。台湾の民主化以降では最長となる四年務めたが、二〇二二年十一月の統一地方選で民進党がふたたび苦杯をなめたため、引責辞任した。

陳氏は一九五一年生まれで、現在七十一歳。行政院衛生署長（現衛生福利部長＝衛生相）だった二〇〇三年には、台湾で感染が広まった重症急性呼吸器症候群（ＳＡＲＳ）対策で陣頭指揮を執った。蔡政権一期目の二〇一六年から二〇二〇年まで副総統として蔡氏を支え、新型コロナウイルス対策でも、専門家としての知見を生かして貢献した。敬虔なクリスチャンとしても知られる。

一月三十一日に行われた内閣引き継ぎ式には、新旧行政院長のほか、頼氏も出席。頼氏は「温厚で無私の精神を備えた陳院長は、台湾が直面している厳しい試練を乗り切り、コロナ後の社会や人びとを癒してくれると信じている」とあいさつし、陳氏に期待を表明した。陳氏は「これが人生最後の公職になるので、信念を持って全力で取り組む。人民と子孫のために、温かい台湾を築いていきたい」と決意を述べた。

新内閣では、民進党の若手有望株の鄭文燦・前桃園市長が行政院副院長に就任。ただ、外交部長、経済部長、交通部長などその他の主だった閣僚の顔ぶれは変わっておらず、「人心一新」のイメージには遠いのが実情だ。有力者のかつての部下らが次官級などで入閣するケースも目立ち、台湾メディアでは、国難に向き合わず身内を重用した清朝末期になぞらえ、「皇族内閣」(『中国時報』電子版、二〇二三年一月三十一日)と皮肉る論調も見られた。

二〇二四年の総統選に向けた動きはこれから本格化する見通しだが、TVBSが一月九～十六日に行った世論調査で、国民党の候補を侯友宜・新北市長、郭台銘・鴻海精密工業前会長、朱立倫主席の三通り想定し、出馬に意欲を示しているとされる民衆党の柯文哲・前台北市長を交えた三パターンの組み合わせごとに各候補の支持を尋ねたところ、次のような結果となった。

(1)頼氏二五パーセント、侯氏三四パーセント、柯氏二一パーセント
(2)頼氏二五パーセント、郭氏三四パーセント、柯氏二〇パーセント
(3)頼氏三一パーセント、朱氏一四パーセント、柯氏三〇パーセント

調査結果によると、国民党は侯氏か郭氏が出れば優勢だが、朱氏だと勝算は低い。頼氏と柯氏ではやや頼氏が勝るものの、二人とも安定した支持率を誇っている。

もちろん、選挙情勢は今後の展開によって変わってくる。国民党候補が誰になるか、柯氏が出馬するかどうかなどがポイントとなる。陳氏の新内閣の評価も民進党の支持率を左右するだけに、何とかしてこの一年で目に見える成果を挙げたいというのが蔡政権の本音だろう。

第2章 激しさ増す中国との攻防

1 国民党政権で定着した対話

会談は政府間に格上げ

国民党の馬英九政権下の二〇一四年二月、中台の初の政府間対話が行われた。台湾行政院（内閣）大陸委員会の王郁琦《おういくき》主任委員が訪中し、中国国務院（政府）台湾事務弁公室の張志軍《ちょうしぐん》主任と会談したのだ。二人は中台関係を主管する官庁の閣僚に当たる。南京での公式会談では対話メカニズムの構築で合意し、上海での非公式会談では首脳会談についても議論した。

この会談をめぐっては、将来の統一をにらんだ政治対話の第一歩と位置づける中国と、政治対話は受け入れない台湾の立場に大きな隔たりがあった。それでも実現したのは、表面上は原則を維持しながら実務的には柔軟に対処するという中台の知恵があったからだ。

中台は互いに国家と認めず、敵対状態にあったが、一九八〇年代に入って経済交流が深まり、実務問題を話し合う必要が生じた。政府間対話が閉ざされたなかで、ともに当局の指導の下、台湾は海峡交流基金会（海基会）、中国は海峡両岸関係協会（海協会）という窓口機関をつくり、かたちの上では民間対話として協議に踏み出した。

海基会の辜振甫《こしんぽ》理事長と海協会の汪道涵《おうどうかん》会長のトップ会談を行うに当たり、双方が原則とする「一つの中国」をどう定義するかという難題が浮上した。台湾にとっては「中華民国」だが、中国にとっては「中華人民共和国」である。突き詰めるとけんか別れするしかないので、「各自がそれぞれ解釈する」ことで合意した、とされる。この「合意」は一九九二年に香港で行われた中台事務レベル協議で形成されたことから、「九二年合意」と呼ばれる。

ただし、公式文書は作成せず、中国は合意があったことは認めているものの、「『一つの中国』原則を堅持することで一致しただけ」と主張し、台湾の野党・民進党は合意の存在を認めていない。あえて中身を曖昧にして合意が成立したことにし、一九九三年に初のトップ会談を実現させたのだ。

今回の中台会談でも、そうした知恵が発揮された。
台湾は公式会談を南京で行うよう要請した。国民党の創始者、孫文が中華民国を樹立した場所で、孫文の墓所・中山陵もあるからだ。王氏は会談後、中山陵を訪れ、「孫文先生が中華民国を建国して一〇三年になる」と述べた。歴史的事実を語ったかのような言い回しで、現在も中華民国は存続していると訴えたのである。

一方、中国は、上海での非公式会談の場所を老舗ホテル「和平飯店」九階のレストランに設定した。一九九八年に辜氏と汪氏がこのホテルで二度目のトップ会談を開いたが、そのときは八階の宴会ルームだった。会場を一階上げることで、中台対話はこれまでの経済対話から政治対話に格上げされたとアピールしたのである。

相手が文句をつけにくいかたちで原則的な立場を宣伝し、実務的な対話は途切らせない――。それが中台の暗黙の了解事項なのだ。

今後の展開は予断を許さないが、首脳会談を実施するには肩書が焦点となる。中国は習近平「国家主席」、台湾は馬英九「総統」としたいが、互いに認めるわけにはいかない。習「共産党総書記」と馬「国民党主席」なら可能だが、政党党首同士の会談に矮小化されてしまう。

メンツがぶつかり合い、容易に解決できる問題ではない。だが、中台はまた何か知恵を絞り出すのではないか。[*1]

（＊1）二〇一五年十一月に実現した中台首脳会談では、互いに相手を肩書では呼ばず、日本語の「さん」に当たる「先生」と呼んだ。第2章1「分断後初の中台首脳会談」参照。

AIIB参加で再燃する名称問題

中国が主導して二〇一五年内の設立をめざすアジアインフラ投資銀行（ＡＩＩＢ）に、台湾も三月末、参加を申請した。四月に発表された五七カ国の創設メンバーからは除外されたが、今後、一般メンバーとして加わる方針は崩していない。台湾企業のビジネスチャンス拡大に役立つほか、台湾が望む環太平洋連携協定（ＴＰＰ）や東アジア地域包括的経済連携（ＲＣＥＰ）加盟に有利になると判断しているようだ。

台湾のＡＩＩＢ参加をめぐっては、どのような名称にするかが問題となる。台湾は国家ではなく「経済体」として参加申請したが、同様に国際機関に加盟した過去のケースでも、中台は他国を巻き込んで激しい駆け引きを演じてきた。今回も台湾は、中国が意に沿わない名称を押し付けようとするなら、申請を撤回する構えだ。

アジア開発銀行（ＡＤＢ）には、台湾は一九六六年の設立時に「中華民国」の名称で加盟したが、中国が一九八六年に入ったため、「タイペイ、チャイナ（中国台北）」に変更させられている。アジア太平洋経済協力会議（ＡＰＥＣ）には一九九一年、「チャイニーズ・タイペイ（中華台北）」の名前で加わった。世界貿易機関（ＷＴＯ）には「台湾・澎湖・金門・馬祖独立関税地域」名義で申請して認められ、二〇〇二年に加盟した。

少しでも国際社会での活動の場を広げたい台湾は、世界的な組織やイベントに参加する場合、名称については基本的に柔軟な姿勢で臨んでいる。だが、中国の圧力で、受け入れられない呼称を提示され、抗議した例も少なくない。

オリンピックでは、一九七六年のモントリオール五輪でカナダが「中華民国」の国名を認めなかったため、台湾は参加を取りやめた。一九七九年に中国が国際オリンピック委員会（ＩＯＣ）に復帰したのに伴い、一九八四年の米ロサンゼルス五輪以降、台湾の名称は「チャイニーズ・タイペイ」が定着。一九八九年には、漢字表記を「中華台北」とすることで中台が合意した。

それでも、二〇〇八年の北京五輪では、中国は五輪参加国・地域を紹介するパンフレットなどで、台湾の漢字表記を「中華台北」より統一色が強い「中国台北」とした。これについて、国務院台湾事務弁公室は「英語のチャイニーズ・タイペイの翻訳として、どちらを使っても問題はない」とし、報道上の表記をどうするかは各メディアに委ねる考えを示した。

これには、中国が主催国の地位を利用して「台湾は中国の一部」という立場を広めようとしているとして、台湾は強く反発した。

中国は台湾のＡＩＩＢ加盟について、「適当な名義で参加することを歓迎する」（国務院台湾事務弁公室の馬暁光報道官）としている。しかし、台湾が指定された期日までに加盟申請したにもかかわらず、創設メンバーに選ばれなかったのは、中国が台湾を他国と対等には取り扱わないという姿勢を示したものとも受け取れる。

ＡＩＩＢは五月までに理事会などの運営体制を固め、六月に設立協定に署名する予定で、台湾の名称や資格についても議論される見通しだ。台湾総統府は「尊厳と平等」が保てないなら参加はしないと牽制《けんせい》しているが、中国が主導権を握るＡＩＩＢでは、受け身の対応にならざるを得ないのが実情だ。[＊1]

（＊1）ＡＩＩＢは二〇一五年十二月に発足したが、金立群《きんりつぐん》総裁が「台湾の加盟申請は中国財務省を通じて行う必要がある」との見解を示したため、台湾は加盟申請を見送った。

分断後初の中台首脳会談

二〇一五年十一月七日、シンガポールで中台首脳会談が行われた。一九四九年の分断後初とあって、各国から計六〇〇人を超える報道陣が詰めかける一大イベントとなった。世界のスポットライトを浴びるなかで台湾がこだわったのが、「中台は対等」という位置づけだった。一方、中国は台湾に配慮しながらも、国内の報道では「中国が格上」との印象を与える細工をするなど、中台の温度差もにじみ出た。

台湾の馬英九総統は二〇一四年十一月に北京で開かれるＡＰＥＣで中国の習近平国家主席と会談することを望んだ。だが、中国は国際的な場はふさわしくないとして拒否した。

APECのような国際会議がないのに台湾の総統が訪中して中国国家主席に会うと、「謁見《えっけん》」との批判を浴びる恐れがある。そこで、第三国での開催を探り、習氏のシンガポール訪問に合わせて馬氏も同国を訪れることにした。

シンガポールは二〇一五年三月に死去したリー・クアンユー元首相が中台の仲介役を演じ、一九九三年に交流窓口機関のトップ会談の舞台となった実績がある。今回もリー氏の長男であるリー・シェンロン首相が一役買った。

首脳会談の会場となったシャングリラホテルでは、向かって右側から習氏、左側から馬氏が壇上に現れて中央に歩み寄り、八〇秒間も固い握手を交わした。一方から近づくかたちを避けたもので、習氏は共産党の象徴である赤色、馬氏は国民党のシンボルカラーである青色のネクタイを締め、満面の笑みを浮かべた。

両者の背景はオレンジ色の壁だけで、外交儀式ではつきものの、双方の「国旗」は置かれなかった。中国を代表する正統な政府は大陸の「中華人民共和国」か台湾の「中華民国」か、という対立を表面化させないためだ。

双方は肩書にも気を配った。相手を国家と認めていないので、「国家主席」「総統」は使えない。二人は「(台湾海峡)両岸の指導者」と紹介され、会談では互いに「先生」と呼び合った。中国語の「先生」は日本語の「さん」に当たる。メンツより会談実現を重視した様子がうかがえる。

会談後の夕食会の費用も折半した。通常はホストが持つのだが、割り勘にすることで、どちらかが招いたものではないことを確認したのである。

このように対等の演出ができたことで、馬氏は上機嫌だったようだ。帰りの飛行機のなかで、同行記者団にいつになく冗舌に成果を語っている。

しかし、当日夜の国営中国中央テレビのニュースは、中台首脳会談より先に、習氏のシンガポールでの講演やリー首相との会談を報じた。あくまで習氏のシンガポール訪問がメーンであり、合間に馬氏に少し時間を取ってやった、というイメージを広めようとしたのだ。ニュースは「習先生」「馬先生」と呼び合う場面や馬氏の発言は放送せず、習氏が格上であると受け取られるように編集されていた。

会談終了後、別々に開いた記者会見では、台湾側は馬氏が自ら受け答えしたのに対し、中国側は国務院台湾事務弁公室の張志軍主任が一人で応じ、習氏は姿を見せなかった。

こうした中国の対応は、情報公開や政府の社会に対する説明責任という点で、民主体制と一党独裁体制の違いも浮かび上がらせた。

平潭島で進む経済協力

中台経済交流の現状を視察するため、二〇一六年八月下旬、中国福建省の平潭島を訪れた。中国政府はこの島を台湾との経済協力のモデルとなる「平潭総合実験区」に指定し、さまざまな優遇措置で台湾企業を呼び込んでいる。島内の市場では台湾の商品が格安で販売され、買い物客でにぎわっていた。

平潭島は面積約三二五平方キロで、福建省最大の島だ。台湾北西部の新竹まで約一二六キロと、中国側でもっとも台湾本島に近い場所にある。かつては台湾と対峙《たいじ》する最前線として中国軍が駐留し、改革・開放の恩恵を受けられずにいた。

そんな平潭島に発展の道が開けたのは、二〇〇九年に総合実験区に指定されてからだ。福建省を中心に浙江省、広東省、江西省の一部も含めた「台湾海峡西岸経済区」プロジェクトの先行地区と位置づけられ、二〇一〇年には大陸と島を結ぶ全長約五キロの平潭海峡大橋が開通した。二〇一一年に具体的な計画が公表され、二〇三〇年まで長期にわたってインフラ整備が進められる予定だ。現在は、高層ビルが建ち並ぶ一方で、手付かずの丘陵地や空き地も多く、開発途上の状態だ。

総合実験区では、法人税や関税、付加価値税などが減免され、先進製造業やサービス業、金融業などはさらに税金が還付される。二〇一五年にはアモイ、福州とともに「福建自由貿易試験区」にも選ばれ、より幅広い規制緩和が可能になった。

なかでも、台湾企業にはほかの外資と違って、投資信託、保険仲介・代理、海上コンテナターミナルへの参入が認められるなど手厚い優遇措置が講じられている。将来的に、台湾ドルの使用や台湾の車のナンバーや医師免許などを認める構想もある。

平潭島と台北、台中を結ぶ高速船も一日一〜二本運行されており、片道二時間半ほどで到着する。総合実験区管理委員会は、こうした特典を売り物に台湾企業に対する働きかけを強めており、二〇一五年九月現在で台湾企業四八二社が進出し、総投資額は約一二億ドル（約一二〇〇億円）に上る。

島内に設置された「台湾商品免税市場」では、食品や酒、医薬品、衣服、工芸品などあらゆる種類の台湾製品が所狭しと並べられていた。免税のため、価格は区外より三割程度安い。周辺から来た家族連れなどが洗剤や菓子、薬などを次々と買い求めていた。

台湾料理店もあり、新竹名物の焼きビーフンが二〇元（約三〇〇円）で売られていた。昼時とあって満員で、かなりの人気ぶりだった。蔡英文政権の発足以来続く中台関係の冷却化も、ここでは縁遠

埠頭正面の斜面に立てられた習近平の巨大な看板。「両岸は一つの家族　一緒に中国の夢をかなえよう」のスローガンが書かれている。（2016 年 8 月 21 日、中国福建省平潭島）

いことのように感じる。

今でこそ平和な光景が広がる平潭島だが、一九九六年三月には陸海空三軍が台湾総統選に合わせてこの島で軍事演習を実施した。中国軍は台湾海峡近海にミサイルも発射し、「台湾海峡ミサイル危機」として世界を震撼《しんかん》させた。海峡に面した小高い丘に軍事演習を記念する塔が建てられており、別室では演習の模様を伝える映像が繰り返し流されていた。

一九八五年から一七年間福建省に勤務した習近平国家主席は、「台湾海峡西岸経済区」や「平潭総合実験区」構想の立案に関わり、国家主席就任後も含めると二〇回以上「平潭総合実験区」を視察している。高速船が到着する埠頭《ふとう》近くには、「両岸（中台）は一つの家族　一緒に中国の夢をかなえよう」と呼びかける習氏の看板が掲げられ、思い入れの強さを見せつけている。

一方、蔡総統は中国への一極集中を是正す

るため、東南アジアやインドに重点的に投資する「新南向政策」を進めている。平潭島は、経済統合を将来の台湾統一につなげたい習氏と、中国に取り込まれることを警戒する蔡氏の思惑がぶつかり合う場でもある。

2　習近平政権で強まる圧力

「九二年合意」めぐるせめぎ合い

二〇一六年五月二十日の民進党・蔡英文政権発足に向け、「一つの中国」原則をめぐる中台の駆け引きが活発化している。蔡氏は総統就任演説で対中政策を明らかにするが、その前に互いに落としどころを見つけ出そうとする動きとみられ、ぎりぎりまで神経戦が続きそうだ。

そのなかで注目されたのは、中国の王毅《おうき》外相の発言だ。二月二十五日に米ワシントンの戦略国際問題研究所（ＣＳＩＣ）で行った講演後の質疑応答で、「台湾の憲法は一つの中国を規定している。（蔡氏が）憲法に違反することは想像できない」と述べたのである（『毎日新聞』二〇一六年三月五日朝刊）。

中国は台湾（中華民国）の国家主権を認めておらず、中国高官が主権を想起させる台湾の憲法に言及するのは異例だ。

台湾では、中国が台湾政策を修正するサインと受け取り、蔡氏が台湾の憲法体制を維持するなら、「一つの中国」を前提とした中台の「九二年合意」を受け入れなくても、中国は対話に応じるのでは、との期待が広がった。

だが、中国の習近平国家主席は、国会に相当する三月五日の全国人民代表大会（全人代）の上海代表団との座談会で、台湾政策について「台湾政局が変化しても、変わることはない」と明言し、「『九二年合意』は両岸関係の平和発展の鍵だ」と強調した。

李克強首相も三月十六日の全人代の閉幕記者会見で、「九二年合意」を堅持することが中台の「政治的基礎」であり、これを認めさえすれば、「台湾とどのような問題も話し合うことができる」と語った。

台湾政策の軟化を予感させた王発言を、最高指導者層がそろって原則論に戻したかたちだが、王氏は国務院台湾事務弁公室主任（閣僚）を務めたことがあり、失言とは考えにくい。観測気球を揚げ、台湾側の反応を探ったというのが実態ではないか。

一方、蔡氏は一月十六日の総統選を間近に控えた二〇一五年十二月から、「九二年に両岸の会談があった歴史的事実は否定しない」と口外するようになった。

民進党の陳水扁総統（当時）は二〇〇〇年七月、「『九二年精神』を基礎に対話を復活させよう」と中国側に呼びかけたことがある。合意は認めないが、対話・交流促進の精神は生かそうというもので、蔡氏もこれに倣って、中国側に「善意」を示したようだ。

蔡氏は三月九日には、野党・親民党の宋楚瑜主席と会談した。宋氏は二〇一四年五月に習氏と会見したことがあり、中国とパイプを持つ。

会談で宋氏は、中台関係の維持には台湾の「憲法体制の順守」が重要だと訴え、蔡氏は、憲法体制は台湾住民の「九割以上の支持がある」と応じた（『産経新聞』電子版、二〇一六年三月十日）。蔡氏が憲法体制を肯定したのは王発言に呼応するものであり、中国の真意を見極めようとしたのだろう。

中台間では、こうしたメディア経由の情報による腹の探り合いと同時に、さまざまなルートで直接接触が行われる。民進党は陳政権時代、双方の交流窓口機関による協議が途絶え、主に学者を通じて水面下で中国側と意思疎通を図ってきた。

中国の対台湾交流窓口機関、海峡両岸関係協会の孫《そん》亜《あ》夫《ふ》副会長は三月五日の共産党機関紙『人民日報』系の『環球時報』で、「以前は民進党系を含む台湾の学者と大陸の学者の交流はあったが、（総統選のあった）一月十六日以後はない」と話している。新政権発足が近づくにつれ、学者をはじめとしたチャンネルによる交渉も重要性を増すだろう。

共産党大会で鮮明にした反独立姿勢

五年に一度の中国共産党大会が二〇一七年十月下旬、北京市で開かれ、習近平総書記は台湾独立の動きには厳しく対処する方針を示した。「一国二制度」による統一も強調したことから、中国が今後、強硬な政策を打ち出してくるのではないかとの警戒感が台湾で広がっている。

習氏は党大会初日の十月十八日、党の運営方針をまとめた政治報告を行った。全体で三時間半に及ぶ異例の長さで、うち四分半を台湾政策の説明に充てた。

そのなかで、習氏は「祖国を分裂する一切の活動はすべての中国人の断固たる反対に遭うだろう」と、反台湾独立の姿勢を鮮明にした。「『一つの中国』原則は両岸の政治的基礎であり、これを体現した『九二年合意』は両岸の平和的発展の鍵となる」とも述べ、「一つの中国」原則も「九二年合意」も認めない蔡英文政権を牽制した。

四分半の間に、約二三〇〇人の代表が居並ぶ会場で七回拍手がわき起こった。もっとも盛大だったのが、習氏が「われわれは『台湾独立』という分裂の企てを打ち砕く強い意志と自信、十分な能力を持っており、いかなる人、いかなる組織、いかなる政党、いかなる時期、いかなる形式による、いかなる中国の領土の分裂も絶対に許さない」とたたみかけたときだ。

「いかなる（任何）」を六回用いていることから、台湾メディアは「六つの任何」と呼んで、習氏の反独立路線の象徴的フレーズと位置づけている。習氏は八月一日の中国軍創設九〇周年の演説でも「六つの任何」に言及しており、今後の台湾政策の基調表現となりそうだ。

一方で、習氏は『両岸は一つの家族』との理念を堅持し、台湾同胞が中国大陸で留学や創業、就業、生活をするに当たって、大陸同胞と同等の待遇が受けられるようにする」と、柔軟さも見せている。「アメとムチ」で台湾を取り込もうとする戦略と言える。

これに対し、台湾行政院大陸委員会は直ちに、「実務的な意思疎通を通じ、両岸交流の新たなモデルを共同で追求してこそ、双方は近づくことができる」と反論するコメントを発表した。

蔡総統も十月二十六日、台北市内で開いたシンポジウムで、「（中国に対する）善意や約束は変わらず、かつての対抗路線には戻らないが、圧力には屈しない」と従来の主張を繰り返したうえで、「両岸の指導者が知恵を出して突破口を探り、敵対と戦争の恐怖を永遠に消し去ろう」と呼びかけた。

共産党大会での習氏の政治報告をめぐっては、統一期限の提示もあり得るとする米国の専門家の予想が話題を呼んだ。結局、そこまで踏み込んだ内容ではなかったため、台湾では「独立は許さないという立場は堅固だが、取り立てて厳しい態度とは言えない」（馬英九前総統）との見方も出ている。

こうした情勢を踏まえ、台湾の李大維《りだいい》外交部長（外相）は立法院（国会）の答弁で「具体的な政策がしばらくしたら出てくるだろう。油断していない」と、警戒感をあらわにしている（『毎日新聞』二〇一七年十月十九日朝刊）。

中国の台湾専門家のあいだでは、台湾独立阻止に向け、統一を促す「国家統一法」を制定すべきだとの声が上がっている。国会に相当する二〇一八年三月の全人代で議題になる可能性もあり、中台関係の行方は予断を許さない。

アメ政策で揺さぶる

中国が繰り出した台湾に対する大規模な優遇政策が、台湾を揺さぶっている。とくに若者の中国での就職や就学に道を開いているため、台湾は「人材を吸い上げるのがねらい」と警戒感を強めている。蔡英文政権は対抗策を打ち出したものの、台湾では若者の就職難や低賃金への不満が高まっているだけに、苦しい対応を迫られている。

「恵台三一条」と呼ばれる台湾政策は二〇一八年二月二十八日、中国国務院台湾事務弁公室が発表した。計三一項目から成り、台湾企業に中国でのインフラ整備事業や政府調達への参加、ハイテク企業への軽減税率適用を認めるほか、外国人は制限する就職試験の受験を台湾人に開放したり、台湾の教師が中国で教職に就くことを支援したりするなど幅広い内容だ。

これまでも中国は「三中一青」と称し、台湾の中小企業、中南部、中低所得者と青少年を統一工作の重点対象としてきた。台湾で二〇一四年に中台サービス貿易協定に反対する学生らが立法院を占拠する「ひまわり学生運動」を起こした後も、台湾の若者が中国で起業するのをサポートするプロジェクトなどを実施してきた。

ただ、今回のようにまとまった台湾優遇政策を前面に押し出すのは初めてだ。一方的な中国の措置に、台湾の施《し》俊吉《しゅんきち》行政院副院長（副首相）は「台湾の技術や資本、人材の獲得がねらいで、台湾優遇を掲げながら、実際は中国を利するものだ」と反発している。対抗策として、博士号取得者の就職対策や新事業立ち上げへの援助など台湾に人材を引き留めるための八項目にわたる「台湾強化戦略」を公表した。

この背景には、台湾で二十代前半の失業率が一〇パーセントを超え、大卒初任給が二〇年前を下回っているという厳しい現実がある。若年層には閉塞感が漂い、台湾誌『遠見』が二〇一七年三月に行った世論調査では、中国での就職や就学を希望する人が三〇パーセント、二十代では四二パーセントに上っている（『毎日新聞』二〇一八年三月十二日朝刊）。

最近、台湾の半導体などＩＴ（情報技術）企業の技術者が中国企業に高給で引き抜かれるケースも増えている。「恵台三一条」で中国への人材流出が加速すれば、台湾経済の屋台骨がぐらつきかねない。

また、中国は台湾の鴻海精密工業の中核子会社が二月初めに申請した上海市場上場を三月初めに承認し、四月にも上場を果たす見通しだ。通常なら申請から上場まで一～二年かかるところが、異例の早さで、台湾の大企業を味方につけようとの思惑が透けて見える。

二〇一六年五月に発足した蔡政権に対して中国は、台湾と外交関係を持つ国を切り崩したり、中国から台湾への観光客を減らしたりするなどの圧力を加えてきた。一方で、野党・国民党の支持者や支援企業を厚遇する台湾社会分断策を仕掛けてきたが、一歩進めて台湾の住民や財界の取り込みにかかったようだ。

習近平国家主席は三月二十日に行った全人代の閉幕演説で、「台湾との経済文化交流を拡大して、台湾同胞と大陸発展のチャンスを共有し、台湾同胞の福祉を増進する」と秋波を送る一方で、「祖国を分裂する企てはすべて失敗に終わり、人民の批判と歴史の懲罰を受ける」と威嚇し、アメ政策とムチ政策を使い分ける姿勢を鮮明にした。中国のムチ政策に対しては団結力を見せる台湾だが、アメ政策にどこまで一枚岩で臨めるかが問われる。

航空会社に「中国台湾」の表記を要求

日本航空（日航）と全日本空輸（全日空）が中国人向けホームページで台湾の表記を「中国台湾」に変更し、台湾外交部（外務省）が二〇一八年六月十八日、抗議声明を発表した。他国の航空会社も同様の対応をするなか、日本の二社への抗議だけを公表したことで日台間に波紋が広がったが、米国政府は自国の航空会社に無視するよう呼びかけており、中国の圧力に対する各国政府の姿勢の違いも浮き彫りになっている。

事の発端は、中国政府民用航空局が四月、世界の航空会社四四社に対し、予約サイトなどの台湾の表記を、台湾が中国の一部であることが明確になる「中国台湾」に改めるよう求める書簡を送付したことだ。

これまで多くの航空会社は、中台の政治的対立から距離を置くため、台湾の帰属に関わるような表記は避けてきた。だが、書簡は、従わなければ行政処分を科すとしており、独ルフトハンザやエア・カナダ、豪カンタスなど大手航空会社が相次いで表記を変えた。中国政府は五月二十五日時点で一八社が要求に応じ、残る二六社も七月二十五日までの変更を承諾したと明らかにした。

日航と全日空は中国人向けサイトでは「中国台湾」に改めたが、他のサイトでは「台湾」の表記を維持している。台湾外交部はこれまで個別企業への抗議を公表してこなかったのに、日本の航空会社にだけ強い態度に出たことについて、李憲章《りけんしょう》報道官は「台湾の民衆の（日本への）感情は特別だからだ」と説明した（『産経新聞』電子版、二〇一八年六月十九日）。

注目を集めているのが、米国政府の振る舞いだ。英『フィナンシャル・タイムズ』によると、米政府はユナイテッド、アメリカン、デルタの米航空三社に対し、中国の要求を無視するよう求めたという。米ホワイトハウスは、政府による将来の監視社会を描いた英国の作家、ジョージ・オーウェル氏を引き合いに出し、中国の要求を「オーウェル氏の作品を想起させるようなばかげたものだ」と批判した（『日本経済新聞』二〇一八年六月七日朝刊）。

一方、菅義偉官房長官は記者会見で、中国の要求について「政府が民間企業の活動に特定の政治的立場に基づいた措置を要求するのは好ましくない」と述べたが、懸念表明にとどめた。

政府の反応は航空会社の判断に影響を与える。過去に、日航と全日空は日台路線を直接運航しない時期があった。日航は一九七五年から日本アジア航空、全日空も一九九四年からエアーニッポンという子会社に任せていたのである。

実際は、親会社の機体を使い、パイロットや客室乗務員も親会社の社員が一時的に転籍するなど形式的なものだったが、中国に気を使い、親会社のフラッグ機が台湾に乗り入れないようにしていたのだ。

両社は二〇〇八年から、ようやく実態に合わせて日台路線を直接運航に切り替えた。子会社方式を採っていた期間は、一九七二年の日中国交正常化後、中国に対する日本政府の配慮が目立っていた時代と重なる。

台湾の表記などに関する中国政府の外国企業への要求は、二〇一八年に入って強まってきた。これまでに、米ホテルチェーンのマリオット・インターナショナルやスペインの衣料品メーカーＺＡＲＡなど欧米の大手企業四社が、サイト上でチベットや台湾を「国」と表現していたとして中国当局の調査を受け、謝罪に追い込まれている。

こうした動きは「一つの中国」原則を認めない台湾の蔡英文政権に対する中国の圧力の一環だとしても、世界の民間企業にとっては、中国への忠誠を試される「踏み絵」のようなものだ。企業だけでなく、各国政府の立ち位置も問われている。

フェイクニュース対策法を制定

中国の選挙介入阻止を目的とした「反浸透法」をめぐって、台湾で与野党の対立が激化している。与党・民進党が法案を立法院に提出し、会期最終日の二〇一九年十二月三十一日に可決したが、「露骨な選挙対策だ」とする最大野党・国民党の反発は収まっておらず、新しい政権や立法院の運営にも影響を与えそうだ。

「反浸透法」は、海外の敵対勢力からの指示や資金援助を受けて政治献金や選挙支援をしたり、フェイクニュースの流布など社会秩序を乱す行為を行ったりした場合、五年以下の懲役刑や一〇〇〇万台湾ドル（約三六〇〇万円）以下の罰金刑などを定めている。名指しはしていないが、海外の敵対勢力として中国を念頭に置いているのは明らかだ。

背景には、中国が中台統一に向けた情報工作を強化していることに対する民進党の危機感がある。二〇一八年以降、ＳＮＳ（交流サイト）で民進党政権に不利なフェイクニュースが広まる現象が目立っており、最初の書き込みの発信元を調べると中国発だったケースが確認されている。

二〇一八年十一月の地方統一選では、高雄市長選の国民党候補、韓国瑜氏の動画にアクセスが集中し、拡散していったことがブームにつながったと指摘されているが、民進党は中国の組織的な動きがあった可能性が高いとみている。

こうした状況から、民進党は二〇二〇年一月十一日実施の総統選と立法委員（国会議員）選にも中国が介入するのではないかと警戒し、蔡英文総統は二〇一九年十二月十八日の総統選候補者三人によるテレビ政見発表会で、「中国がフェイクニュースを流すなどさまざまな手段で台湾社会に浸透している」と警告した。

民進党の懸念に拍車をかけたのが、オーストラリアで相次いで発覚した中国の情報機関による工作疑惑だ。豪紙『シドニー・モーニング・ヘラルド』は十一月二十三日、スパイ活動に従事した中国の二十代の男性が、妻子が暮らす豪州への亡命を希望し、香港や台湾での工作活動に関する情報を豪政府に提供したと報じた。

同紙によると、男性は二〇一四年、中国軍の傘下にある企業の社員として香港に赴任し、香港の大学の民主化運動に関する情報を収集したほか、共産党に批判的な書籍を扱っていた「銅鑼湾書店」関係者五人の失踪事件にも関与したと証言した。

男性は、台湾では統一地方選で民進党の候補を妨害するため、中国の情報機関が「サイバー部隊」を設立するのに協力し、ネット上の議論を誘導したり、国民党への資金提供を支援したりしたという。

この報道の翌日には、豪テレビ番組『六〇ミニッツ』が、中国の情報機関が総選挙で中国系男性をメルボルン郊外の選挙区から立候補させようとしていたとする疑惑を取り上げた。中国の情報機関の関係者とみられる実業家が、男性に選挙資金として一〇〇万豪ドル（約七八〇〇万円）を提供したが、男性は豪治安情報局に相談した後の三月、ホテルで死亡しているのが見つかり、同局が捜査している。

このような情勢のなか、民進党は十一月末に「反浸透法」案を提出したが、二〇二〇年一月の総統選・立法委員選前の成立にこだわったことから、国民党は「民進党は私利私欲のために民主主義を後退させた」と主張し、議場で座り込みをするなどして激しく抵抗した。

国民党の馬英九前総統は「国家安全に関しては、（国家安全法や国家機密保護法など）既存の法律で十分カバーでき、新法は屋上屋を架すものだ。海外の敵対勢力の定義も曖昧で、すべての中国の公的機関や民間組織に適用される危険性が大きい」と批判した（台湾『中央通信』二〇一九年十二月十日）。

一方、フェイクニュースにからんで、民進党が守勢に回る事件も起きている。十二月初め、台北地検は民進党重鎮の謝長廷・台北駐日経済文化代表処代表（大使）の知人女性とその配下の男性の二人を、二〇一八年九月の蘇啓誠《そけいせい》・台北駐大阪経済文化弁事処長（総領事）の自殺に関係して、公務員及び官公庁侮辱罪容疑で起訴した。

この事件は大型台風に襲われて海上空港である関西国際空港に観光客ら約八〇〇〇人が取り残されたのが発端で、当時、「中国駐大阪総領事館は関空にバスを派遣し、中国人客を救出した」という情報がネット上に流れた。手配されたバスは関空までは行けなかったのだが、フェイクニュースは広がり、台湾では「なぜ中国のようにできないのか」と在外公館への非難が殺到し、蘇氏は自殺に追い込まれた。

十二月三日付の台湾紙『聯合報』は、謝氏を守るため、女性が仲間に報酬を支払ってネット掲示板に大阪弁事処を攻撃する投稿をさせたと伝えた。この報道を受け、国民党は民進党に、女性に指示や資金提供を行ったのかどうか真相を明らかにするよう求めた。謝氏と民進党は関連を否定したが、フェイクニュースは与野党双方を揺さぶっており、その対策が台湾社会の課題となっている。

パイナップル輸入を禁止

中国が二〇二一年三月から台湾産パイナップルの輸入を禁止し、台湾農業界に動揺が広がっている。今回は蔡英文政権の素早い対応で、内外の販売拡大によりカバーできるめどが立ったものの、果物の過度の対中依存という構造に変わりはないからだ。中国は他の農産品も禁輸するのではないかとの懸念が出ており、警戒感が強まっている。

台湾のパイナップルは生産量の一割程度が輸出されるが、二〇二〇年の中国向けは約四万二〇〇〇トン、約五〇〇〇万ドル（約五五億円）で、輸出全体の九〇パーセント以上を占める。

禁輸の理由について、中国税関総署は「何度も害虫が見つかったため」と説明している。だが、台湾側は蔡総統が「貿易ルールに反する不合理な措置」と非難するなど、政治的思惑による圧力と受け止めている。

果物産地は南部が中心で、蔡氏はその一つである高雄市の農家を訪れて激励し、生産・加工支援や海外販路開拓などのため、一〇億台湾ドル（約三八億円）の予算計上を表明した。

そして、記者会見で住民にパイナップルを買うよう呼びかけると、呼応して消費運動が盛り上がった。欧米やアジア各国などにも輸入を働きかけた結果、内外の受注は三月初めに四万トンを突破し、失った中国への輸出分を上回る勢いだ。

日本でも購入の動きが広がり、二〇二〇年には約二一〇〇トンだった年間輸入量は、二〇二一年は六〇〇〇トンを超える見通しとなっている。

代表的な台湾の果物とはいえ、パイナップルの中国向け輸出額は、工業製品なども含めた全対中輸出額の〇・〇三パーセントにすぎない。それでも蔡政権が大がかりな取り組みを進めたのは、民進党支持者が多い果物農家に「中国頼み」の危うさがあるためだ。レンブやバンレイシ（釈迦頭）も対中輸出比率は九割を超え、果物全体でも七割に上っている。

台湾産果物の対中輸出が急増したのは、二〇〇五年に野党だった国民党の連戦主席（当時）が共産党の胡錦濤《こきんとう》総書記（同）と行った六〇年ぶりの国共首脳会談で、中国が一〇～一五パーセントの関税をかけていたパイナップル、マンゴー、パパイアなど一五品目の免税化で合意したことがきっかけだ。

この優遇措置は、国民党の馬英九政権が二〇一〇年に中国と締結した経済協力枠組み協定（ＥＣＦＡ、自由貿易協定に相当）で制度化された。

中国の優遇措置には、台湾の果物農民の民進党離れを促すねらいがあった。それだけに、台湾産専用レーンを設けて週末でも二四時間態勢で通関を受け付け、検疫も緩く、品質や大きさが不ぞろいでも受け入れるという至れり尽くせりの待遇だった。

これで台湾農家の「大陸熱」が高まり、歴代政権もリスク分散のため輸出先を多角化させる努力を怠ってきた。蔡政権は対中依存度の低下を最重要政策に掲げているが、政権が発足した二〇一六年に七七・六パーセントだった台湾産果物の対中輸出シェアは二〇二〇年で七一・六パーセントと、五年間で六ポイント下がっただけだ。

この点について、陳吉仲《ちんきちちゅう》農業委員会主任委員（農相）は「農産品の海外市場を掘り起こすのは時間がかかるものだ。現政権の任期が終了する二〇二四年には、果物の対中輸出の割合を五割にまで引き下げたい」と話している（台湾誌『商業周刊』二〇二一年三月十一日号）。

近年、中国は軍事や外交面で台湾への圧力を強める一方で、経済面では関係を強化してきた。台湾では、パイナップル輸入停止は中国の政策変更の合図で、今後も農産品禁輸の制裁カードを切ってくるのではないかとの見方が浮上している。

農産品全体では、二〇二〇年の全輸出に占める対中輸出比率は二〇・七パーセントと果物のような極端な高さではないが、一部の活魚や茶、粉ミルクなどは四〇〜六〇パーセントに達しており、不安材料となっている。(＊1)

（＊1）中国は二〇二一年九月から二〇二二年八月にかけ順次、台湾産のレンブ、バンレイシ、高級魚のハタ、かんきつ類、生鮮・冷凍タチウオ、冷凍アジの輸入を禁止した。二〇二三年六月にはバンレイシの輸入を再開するなど、揺さぶりをかけている。

3　緊迫する台湾海峡

突き崩した「一つの中国」の厚い壁

二〇一七年は台湾にとって、国際社会での活動空間が広がる重要な年になるかもしれない。一月二十日に就任する米国のトランプ次期大統領は、「一つの中国」原則にこだわらない考えを示しており、本当に実行に移すなら、米国の台湾政策が大きく変わる可能性があるからだ。

トランプ氏は二〇一六年十二月二日、台湾の蔡英文総統と電話会談し、米台の緊密な経済、政治、安全保障関係を確認した。さらに、同十一日にはＦＯＸニュースのインタビューで、「なぜ『一つの中国』という政策に縛られなくてはならないのか」と従来の米国の政策に疑問を投げかけた。米国は一九七九年の米中国交樹立時に発表した共同コミュニケで「中華人民共和国政府が中国の唯一の合法政府であることを承認する」と宣言し、「中国はただ一つであり、台湾は中国の一部であるという中国の立場を認識する」とうたっている。

　これ以来、米国は台湾と外交関係を絶ち、大統領は就任前も含め台湾の総統との直接対話を避けてきた。トランプ氏は歴代政権が金科玉条のように守ってきた「一つの中国」の壁を、いとも簡単に崩してしまったのである。

台湾にすれば快挙には違いないのだが、浮かれたムードはない。総統府の黄重諺《こうじゅうげん》報道官はトランプ発言についての論評は控え、「台湾がより多くの国際活動に参加できるような各国の政策変更につながるなら歓迎する」と述べるにとどめた。

　慎重姿勢に徹しているのは、トランプ氏の真意を測りかねているからだろう。トランプ氏は大統領選挙戦中から、中国製品に四五パーセントの輸入関税をかけると主張するなど、中国を揺さぶり続けている。「一つの中国」政策についても、維持していくかどうかは中国の対応次第だと強調するなど、「台湾カード」を米中の取引材料に使おうとする様子がうかがえる。

　一方、中国は十二月中旬、フィリピン沖の南シナ海で米海軍の無人水中探査機を奪ったり、下旬には空母「遼寧」が西太平洋に進出した後、台湾・フィリピン間のバシー海峡を通って南シナ海に入ったりするなど、米台接近を牽制する動きに出た。トランプ氏の出方を見極めようとしているようだが、中国が「核心的利益」と位置づけている台湾の主権問題に米国が踏み込むなら譲歩する余地はなく、強硬策に出るだろう。

米国をはじめとする多くの国が「一つの中国」原則を支持していることで、台湾は国連などの国際機関から締め出されている。WTOやAPECなど経済関連の国際機関には加盟しているものの、主権国家としてではなく、「経済体」という立場だ。

蔡英文政権になってからも、台湾は航空の安全確保基準などを決める国連の専門機関、国際民間航空機関（ICAO）への参加が認められなかった。馬英九政権だった前回二〇一三年の総会には特別ゲストとして参加しており、台湾政府は「中国の政治的な関与によるものだ」と抗議したが、中国は「台湾は中国の一つの省にすぎず、参加する権利を持っていない」（外務省の陸慷《りくこう》報道官）とにべも無かった。

こうした台湾を取り巻く国際情勢に変化が生じるかどうか、大統領就任後のトランプ氏の言動が注目されるが、台湾は十二月二十一日、西アフリカのサントメ・プリンシペとの断交に追い込まれ、五日後に中国が国交を回復するなど、圧力は強まってきている。「一つの中国」をめぐる米中台の攻防は激しさを増しそうだ。

潜水艦自主建造を計画

台湾の蔡英文政権が、対中防衛の切り札と位置づける潜水艦の自主建造計画に取り組んでいる。それには海外からの技術導入が欠かせず、二〇一八年五月に米国の軍事企業が参加するフォーラムを開催し、米台の連携強化を図る。そうした動きに中国は神経をとがらせており、蔡政権の思惑どおりに進むかどうかは不透明だ。

蔡総統は四月十三日、台湾北東部の宜蘭県で駆逐艦「基隆」に乗り込み、中国軍の侵攻を想定した海上軍事演習を視察した。そこで、艦艇を自主建造する「国艦国造政策」の推進を表明し、「この二年間で『国艦国造政策』、とくに潜水艦の自主建造については大きな進展があり、われわれを勇気づけるものとなっている」と述べた（『Ｔａｉｗａｎ Ｔｏｄａｙ』二〇一八年四月十六日）。

艦艇の自主建造は、蔡氏が二〇一六年五月の総統就任演説で掲げた「五大イノベーション研究開発計画」に盛り込まれている。この計画では、現在のＩＴ産業に代わる新たな主要産業として、バイオ医薬、自然エネルギーなどと並んで国防産業を挙げている。蔡氏が総統就任前にイスラエルを訪問した際にヒントを得たもので、安全保障上の懸念解消と経済発展の一石二鳥をねらった政策だ。

「国艦国造政策」のなかでも、もっとも重要なのが潜水艦の自主建造だ。中国は台湾有事の際、九州・沖縄・台湾・フィリピンを結んだ第一列島線と中国本土のあいだに米軍を進入させず、すでに入っている場合は自由に行動させない「接近阻止・領域拒否（Ａ２／ＡＤ）」と呼ばれる軍事戦略を描いている。

それには台湾周辺の海上封鎖が必要になる。鍵を握る潜水艦を、中国は六〇隻以上保有しているが、台湾には四隻しかない。しかも、いずれも老朽化しており、新しい潜水艦の配備が軍事面での最優先事項となってきた。

二〇〇一年には、米国のブッシュ（子）政権が台湾へのディーゼル潜水艦八隻の売却に同意したが、「内政干渉」と猛反発する中国への配慮で実現しなかった。

こうした状況から、蔡政権は潜水艦の自主建造に切り替えたのだが、エンジンなど一部の技術は海外から導入しなければならない。蔡政権の働きかけに応じて、米政府は四月初旬、台湾の潜水艦自主建造計画の商談に米企業が参加することを初めて認めた。

これを受け、台湾の軍事企業でつくる台湾国防産業発展協会は五月十日、南部の高雄市で米国の軍事企業と技術協力について議論するフォーラムを開催する。毎年秋に米国で開く米台国防工業会議の関連イベントだが、台湾で開くのは初めてで、これを機に、商談が進む可能性もある。

ただし、商談が成立しても、契約実施にはあらためて米政府の許可が必要となる。中国は外務省の耿爽《こうそう》報道局長が記者会見で「米国が台湾に武器を売却することに断固として反対する」（『毎日新聞』二〇一八年四月十二日朝刊）とくぎを刺すなど絶対阻止の構えで、米国から台湾への技術移転に強い圧力をかけてくるのは確実だ。台湾の潜水艦自主建造の可否は、米中関係の行方に翻弄される運命にある。

四〇年で大きく変化した力関係

一九七九年一月一日に中国が「台湾同胞に告げる書」を発表してから四〇年になったのを記念して、習近平国家主席は二〇一九年一月二日、台湾政策に関する演説を行った。中国は鄧小平《とうしょうへい》氏のリーダーシップで改革・開放路線に踏み出し、台湾政策も毛沢東《もうたくとう》時代の「武力解放」から「平和統一」に改め、基本路線は習政権も引き継いでいる。だが、この間、国内総生産（ＧＤＰ）世界二位となった中国は政治的、軍事的にも大国化し、中台の力関係は大きく変化した。

習氏が示した台湾政策は五項目から成り、「一国二制度」による平和統一を軸としながらも、武力行使は放棄せず、中台経済交流を進めるという硬軟織り交ぜた内容だ。台湾政策について包括的な演説を行うのは初めてで、台湾統一に向けた強い決意を披露した。

中国は一九七八年十二月十八日に開いた共産党第一一期中央委員会第三回総会（三中全会）で改

革・開放にかじを切った。経済建設に専念するには、中台関係の安定が不可欠となり、台湾政策の転換を迫られた。

このため、「台湾同胞に告げる書」で、台湾問題を処理するに当たっては「台湾の現状と台湾各界の人びとの意見を尊重し、情理にかなう合理的な政策と方法を採用して、台湾人民に損失を被らせない」と台湾に秋波を送り、一九五〇年代から恒例となっていた金門島への砲撃も停止した。

さらに、一九八一年には、全人代の葉剣英《ようけんえい》常務委員長が台湾平和統一のための九項目を公表し、「三通（交通、通信、通商の直接交流）」の実施などを呼びかけた。このなかで、「国家統一が実現した場合は、台湾は特別行政区として、高度な自治権と独自の軍隊を持つことができる」と保証しており、鄧氏はこの提案を「一国二制度」と銘打って台湾政策の基本方針とした。

これに対し、当時の台湾の蔣経国総統は「接触せず、交渉せず、妥協せず」の「三不政策」を貫き、対話には応じなかった。しかし、李登輝政権になった一九九〇年代から中台の経済交流は活発化してきた。

この四〇年の中台関係を振り返ると、台湾にとって最大の見込み違いは、中国の経済発展があまりにも急速だったことだろう。中国が改革・開放を決めた一九七八年のＧＤＰは三七〇〇億元（約六兆円）にすぎなかったが、二〇一七年は八二兆七〇〇〇億元と約二二〇倍に膨れ上がった。

中台のＧＤＰを比較すると、一九七八年には中国は台湾の八倍程度だったが、二〇一七年には約二一倍に開いている。台湾も著しい経済発展を遂げたものの、中国の成長のスピードがはるかに上回ったのである。「豊かになると、中国も台湾のように民主化する」というもくろみも外れ、習政権はむしろ共産党一党独裁体制を強化している。

皮肉なことに、台湾は中国の経済発展に多大な貢献をしてきた。一九八七年に対中間接貿易、一九九一年に対中間接投資を解禁すると、対中貿易・投資は拡大の一途をたどり、二〇一七年には台湾の貿易の約三割（対香港含む）、対外投資の約六割が中国向けと、台湾経済の対中依存度は飛躍的に高まった。

こうした情勢変化によって中台関係のバランスは崩れ、中国の優位が鮮明になってきた。習氏の演説に対して、台湾の蔡英文総統は談話を発表し、「一つの中国」原則や「一国二制度」は「絶対に受け入れられない」と強調した。だが、二〇一八年十一月の統一地方選で民進党が大敗し、弱体化した蔡政権は、思い切った対中政策を打ち出せる状況ではなく、二〇一九年も苦境が続きそうだ。

台湾有事が日米首脳会談の最重要テーマに

菅義偉首相とバイデン米大統領が二〇二一年四月十六日（日本時間十七日）にワシントンで行った首脳会談の共同声明に、台湾情勢が盛り込まれた。日米共同文書に台湾問題が明記されるのは、一九六九年の佐藤栄作首相とニクソン大統領の会談以来五二年ぶりで、一九七二年の日中国交正常化・日台断交後は初めて。これで、台湾海峡の安全保障に、日本も責任を負うことが明確になった。

会談は強硬な対外政策を進める中国への対処が最大のテーマとなり、共同声明には「台湾海峡の平和と安定の重要性を強調するとともに、両岸問題の平和的解決を促す」と書き込まれた。

米国は、台湾海峡をめぐる軍事バランスは中国優位の状態が加速していると分析しており、中国の台湾への武力侵攻について、インド太平洋軍のデービッドソン司令官は三月の米議会公聴会で「向こう六年以内に起きるだろう」と警告した。

このような状況に、米国は地理的にも日本との連携が喫緊の課題と認識し、三月に開かれた日米外務・防衛担当閣僚会議（2プラス2）でも「台湾海峡の平和と安定」が取り上げられた。

日米共同声明について、台湾の蔡英文総統はツイッターで「台湾海峡の平和と安定の重要性をあらためて確認してくださったことを評価します」と歓迎の意を示した。一方、中国外務省の汪文斌《おうぶんひん》副報道局長は「台湾は中国の不可分の領土だ。米日は内政干渉をやめよ」と批判した。

バイデン政権は一月二十日の発足以来、トランプ前政権以上に台湾を優遇する姿勢を鮮明にしている。まず大統領就任式に、一九七九年の米台断交後初めて、台湾の大使に相当する蕭美琴《しょうびきん》・台北駐米経済文化代表処代表を正式に招待した。

三月には、米台が協力して沿岸警備を強化することで合意し、覚書に署名した。パラオのウィップス大統領が訪台し、蔡氏と会談したが、ヘネシーナイランド駐パラオ米大使が同行した。米台断交後、米国大使が台湾入りするのは初めてだ。

四月には、米国務省は台湾との政府間交流の拡大に向け、新たな指針を策定したと発表した。詳細は明らかにしていないが、米連邦政府庁舎やワシントンの台北代表処で、米台の実務者会合を開催することを許可した。非公式ながら、アーミテージ元国務副長官らによる代表団を派遣し、代表団は蔡氏との会談で、台湾をいっそう支援していく方針を伝えた。

一連の米国の動きに中国は猛反発し、台湾への軍事的圧力を強めている。四月十二日には、一日としては過去最多となる二五機の戦闘機や対潜哨戒機が台湾の防空識別圏に侵入した。同五日には空母「遼寧」などの艦艇が台湾周辺の海域で軍事訓練を実施し、十五日から二十日まで広東省沖の海域で実弾射撃訓練を行った。

台湾有事が発生した場合、米国が日本に軍事的な負担を求めてくることも想定しておく必要がある。日本政府が二〇一五年に成立した安全保障関連法に基づき、「重要影響事態」と認めると、自衛隊が米軍に対して燃料補給などの後方支援活動を行うことになる。

米艦への攻撃などが発生し、「存立危機事態」と判断されれば、集団的自衛権に基づいて、限定的な武力行使が認められる。明白な危険が切迫しているとして、「武力攻撃事態」と認定されれば、個別的自衛権に基づく武力行使で反撃することが可能になる。

こうした台湾有事に対する日本の対応はこれまでに十分に議論されておらず、今回の日米首脳会談は日本に相応の覚悟を迫る結果となった。

バイデン大統領が軍事関与を明言

バイデン米大統領が、中国が台湾を武力統一しようとした場合、米国は台湾防衛に関与すると明言した。二〇二二年五月二十三日に東京で開かれた日米首脳共同記者会見で述べたもので、ロシアによるウクライナ侵攻が進行するなかでの発言だけに、台湾では「米国が台湾政策を変更するのでは」との期待が高まっている。

会見で、バイデン氏は記者から「台湾防衛に関わる意思があるか」と問われ、迷わず「イエス」と答えた。再確認されると、「われわれが約束した責務だ」と強調した。

米国は一九七九年の台湾との断交時に制定した「台湾関係法」を根拠に、中国が台湾に武力行使すれば、軍事介入することができるとの立場を取っている。だが、歴代政権は、実際にするかしないかは明確にしない「戦略的曖昧さ」を堅持してきた。中国を牽制するとともに、台湾側の独立運動も抑えるねらいがある。

今回のバイデン発言は、この「曖昧戦略」の変更とも受け取れるだけに、世界のメディアの注目を集めたが、ホワイトハウスは声明を出し、「米国の台湾政策は変わっていない」と火消しに努めた。バイデン発言について、中国外務省は「強烈な不満」を表明し、台湾外交部は「歓迎と感謝」のコメントを発表した。

実は、バイデン氏が同じ趣旨の発言をするのは、二〇二一年八月、十月に次いで三度目になる。ホワイトハウスはその都度、軌道修正しており、失言癖があると言われるバイデン氏の「言葉足らずの発言」などと片づけられてきた。

ただ、今回は記者会見という公式の場だったことに加え、バイデン氏はウクライナ問題で非難を浴びたこともあって、あえて本音を漏らしたとの憶測も流れている。バイデン氏は北大西洋条約機構（ＮＡＴＯ）に加盟していないウクライナにロシアが侵攻しても、米軍を派遣する意思はないことを事前に明らかにしていたが、それがロシアに誤ったメッセージを送ったとの批判が今もくすぶっているからだ。

さらに、米国の共和党保守系議員や識者のあいだで、台湾に対する「曖昧戦略」は時代遅れになっており、中国を抑止するには、米国が台湾を防衛することをはっきりさせるべきだとの声が高まっているという事情もある。

米国務省も五月五日に四年ぶりに更新したホームページで、米国と台湾の関係をめぐる記述から「台湾は中国の一部分」「米国は台湾の独立を支持しない」との文言を削除し、代わりに「台湾はインド太平洋における米国の重要なパートナー」との表現を加えるなど、政策変更を疑わせる動きを見せている。これについて、国務省は、最近の中台関係などを踏まえて一部を改めただけだと説明し、政策変更は否定していた。

こうした状況を受け、台湾では、米国が目立たないように台湾政策に手を付けようとしているのではないか、との見方が出ている。国防部（国防省）系シンクタンク、国防安全研究院の蘇《そ》紫雲《しうん》・戦略資源研究所長は「米国の大戦略には変わりはないが、戦術・手段上で微調整が行われつつある。伝統的な『戦略的曖昧さ』から、二者択一の『明確戦略』ではないものの、『建設的明確さ』に移行するのが現状に合っていると判断しているようだ」と分析している（台湾『中央通信』二〇二二年五月二十三日）。

一方で、米主導で五月二十三日に発足した新経済圏構想「インド太平洋経済枠組み（ＩＰＥＦ）」には、台湾の参加は認められなかった。米国が中国に配慮したためとも言われ、米国が中台のバランスに腐心している様子もうかがえる。

ペロシ氏訪台で緊張が高止まり

米国のペロシ下院議長が二〇二二年八月二、三日、台湾を訪れ、蔡英文総統と会談した。中国は報復として、武力侵攻の「リハーサル」とみられる大規模な軍事演習を実施した。軍事的圧力を常態化する構えも見せており、台湾海峡の緊張が高止まりする状態が続きそうだ。

会談で、ペロシ氏は「米国は台湾と世界の民主主義を守る」と決意を表明し、蔡氏は「米議会の台湾への揺るぎない支持に感謝する」と応じた。台湾では、ペロシ氏の言動に共感が広がり、各テレビ局が行く先々から生中継で伝えるなど、ペロシ氏は一躍「時の人」となった。

民間シンクタンク、台湾民意基金会が八月十六日に発表した世論調査では、ペロシ氏訪台を「歓迎する」は五三パーセントで、「歓迎しない」の二四パーセントを大きく上回った。

これに対し、中国軍は八月四日から、台湾を取り囲むように六つの空海域を指定し、軍事演習を行った。演習は通告期限の七日を過ぎて十日まで続いた。

演習では、一一発の弾道ミサイルが発射され、航空機一〇〇機以上が台湾海峡の事実上の停戦ラインとされた中間線を越えた。十数隻の艦船も台湾周辺で活動するなど、台湾封鎖に重点を置いたものだった。

さらに、中国軍は「戦争準備を継続し、台湾海峡の警戒を常態化する」として、演習終了後も中国軍機の台湾海峡中間線越えが頻発している。

八月十五日には、米上院外交委員会で東アジア政策を統括する民主党のマーキー上院議員が率いる米議員団五人が台湾を訪れ、蔡氏と会談した。これに反発した中国が台湾周辺の空海域で軍事演習を行うなど、応酬はエスカレートする様相を見せている。

台湾にとって、こうした中国の対抗措置は予想していたとはいえ、軍事演習に伴い、航空会社が台北便をキャンセルしたり、海運大手の船舶が台湾海峡通過を避けたりした動きもあった。台湾海峡は世界のコンテナ船の五割が通る重要なシーレーンとなっており、実際に封鎖された場合、台湾だけでなく世界経済に及ぼす影響は計り知れない。

二〇二一年の台湾の輸出額のうち四割は中国（香港を含む）向けで、台湾経済の生命線である半導体も輸出の五割強が中国相手だ。中台経済は電子部品のサプライチェーン（供給網）を中心に深く結び付いており、この構造は二〇一六年の蔡政権発足以降も変わっていない。

そのうえ、中国が台湾のかんきつ類や魚類の輸入を停止するなど経済制裁にまで踏み込んだこともあり、経済界からは「ペロシ氏がこの時期に訪台したことは、台湾にとってよかったのか悪かったのか、よく考える必要がある」（苗豊強《びょうほうきょう》・全国工業総会理事長）と憂慮する声も聞かれた（台湾紙『工商時報』電子版、二〇二二年八月三日）。

　軍事演習に合わせて、中国政府は台湾統一に関する白書を公表した。白書は、台湾に対する武力行使は放棄しないとしたうえで、武力行使は「外部勢力の干渉と少数の独立分子に向けるものであり、やむを得ない状況のなかでの最後の選択だ」と強調している。

　中国の台湾統一に関する白書公表は二〇〇〇年以来二二年ぶりだが、前回は台湾総統選の直前で、独立派とみなして警戒していた民進党の陳水扁候補の勝利が現実味を帯びていた時期だった。

　今回も、ペロシ氏訪台に危機感を抱き、急いで公表した様子がうかがえる。武力行使を「最後の選択」と表現することで、台湾に平和的統一に向けた交渉を呼びかけるねらいがあるとみられるが、武力行使放棄を明言しない限り、台湾の人びとの心は離れていくばかりだ。

第3章 孤立打破に挑む外交

1　緊密化する米国との関係

「トランプ旋風」が巻き起こす波紋

米大統領選の共和、民主両党の候補指名争いが大詰めを迎えている。二〇一六年六月のカリフォルニア州など六州の予備選・党員集会を経て、七月に開かれる両党の党大会で決まるが、共和党で不動産王のトランプ氏の旋風が衰えず、指名獲得が現実味を帯び、台湾でも波紋を巻き起こしている。

台湾メディアによると、トランプ氏は通商や北朝鮮問題などで中国を声高に非難しているが、台湾問題で中国が掲げる「一つの中国」原則に異議を唱えているわけではない。この点は、民主党で指名獲得が有力視されるヒラリー・クリントン前国務長官も同じだ。

過激なトランプ氏の主張で、とくに台湾が神経質になっているのは、外交面での孤立主義だ。同氏は、日本が米軍の駐留経費負担を大幅に増額しない場合は在日米軍を撤退させる代わりに、日本の核兵器保有を容認するとぶち上げ、物議を醸した。

トランプ氏は台湾の安全保障には直接言及していないが、台湾では同氏の外交政策について「米国はアジアを重視しないという誤ったメッセージを中国に送れば、重大な結果を招き、米台関係も危機を迎えるだろう」（台湾『中央通信』二〇一六年三月五日）と危惧《きぐ》する声が強い。

保護貿易の姿勢も憂慮されている。トランプ氏は中国や日本が輸出振興のため通貨安政策を採用したことで、米国内の雇用が減ったと批判する。大統領に就任したら、初日に中国を「為替操作国」に認定し、中国製品に四五パーセントの輸入関税を課すと宣言している。

米企業が中国やメキシコなど賃金の安い国に工場を移転したことも、米国の労働者を苦境に陥れた原因だと力説する。自動車大手フォード・モーターや菓子大手ナビスコをやり玉に挙げ、ＩＴ（情報技術）大手アップルに対しても「米国でコンピューターをつくらせる」と公言してはばからない。

アップルの主力製品であるスマートフォン・ｉＰｈｏｎｅやタブレット端末・ｉＰａｄなどは、主に台湾の鴻海精密工業が中国の自社工場で製造している。他にも台湾企業が米企業から受託して中国で生産する方式は定着しており、もしトランプ大統領が誕生して公約を実現しようとすれば、台湾経済は根本的に構造の見直しを迫られることになる。

一方、クリントン氏は台湾の対中経済依存度の高さを問題視し、「（中国に対して）どの程度まで開放すべきか、しっかり判断する必要がある。経済的独立を失えば、政治的独立にも影響が出る」（台湾誌『商業周刊』二〇一四年六月二十五日号）と警告している。

もっとも、過去の米大統領の台湾政策には一貫性がなく、現在の候補者たちの発言もうのみにしない方がいいだろう。

民主党のビル・クリントン大統領は一九九五年、李登輝総統の訪米を認めたが、中国が強く反発して「台湾海峡ミサイル危機」が起こった。その反動か、一九九八年の訪中では、台湾独立などを支持しない「三つの不支持」を表明し、台湾を窮地に追いやった。

二〇〇一年一月に就任した共和党のブッシュ（子）大統領は当初、台湾が中国から攻撃を受けた際の台湾防衛を明言するなど台湾に傾斜していた。だが、同年九月の米同時多発テロ発生後は対中協調路線に転じ、陳水扁政権に厳しい態度で臨むようになった。

十一月の米大統領選で誰が当選しても、実際の台湾政策がどうなるかは、その後の国際情勢を見ないとわからないのが現実だ。

米上院が「台湾旅行法」案可決

米台高官の相互往来を可能にする「台湾旅行法」案が二〇一八年二月二十八日、米上院で可決された。成立にはトランプ大統領の署名が必要だが、これまで制限されていた外交や国防分野の交流促進も見込まれる法案だけに、中国は警戒を強める。台湾の蔡英文総統は外交部長（外相）に知米派の側近を起用して米国との連携強化に乗り出すなど、米中台間の駆け引きは活発化している。

米国は一九七九年の断交以来、台湾とのあいだで高官の相互訪問を規制してきた。「台湾旅行法」案は米台の政府関係者・政府高官の行き来を奨励するもので、(1)閣僚級の国家安全保障担当高官や軍将官、行政機関を含むすべてのレベルの官僚の台湾訪問、相手方官僚との面会許可、(2)米国を訪問する台湾高官の受け入れや、国務省、国防総省、その他の閣僚級高官との面会許可——などが盛り込まれている。

同法案は一月に米下院本会議を通過しており、今回の上院本会議の可決で、トランプ氏が成否の鍵を握ることになった（＊1）。

こうした米議会の台湾重視策に応え、蔡氏は二月の行政院（内閣）改造で、外交部長に野党・国民党系の李大維氏に代わって呉釗燮《ごしょうしょう》総統府秘書長（官房長官）を起用した。呉氏は民進党秘書長（幹事長）として二〇一六年総統選での蔡氏勝利に貢献するなど蔡氏の信頼が厚く、駐米大使に相当する駐米代表の経験もあり、米国と太いパイプを持つ。

蔡氏は二月二十一日、訪台した台湾に友好的な米国会議員連盟のメンバーと会談し、「台湾旅行法」案の推進に感謝したうえで、「台米双方の努力により、台湾にとって米国はもっとも絆の深いパートナーとなっており、今後もそうあり続けるだろう。台米は今後も利益と価値観を共有し続け、この関係を維持するだろう」と述べた（『Ｔａｉｗａｎ Ｔｏｄａｙ』二〇一八年二月二十二日）。

一方、中国は米台接近にいら立ちを隠さない。北京大学国際関係学院の賈慶国《かけいこく》院長は台湾紙の取材に「法案が最終的に成立する可能性は高くない」との見通しを示しながらも、「もし成立すれば、中米間の政治的基礎は存在しなくなる。断交という結果すら招くだろう」と強い調子で警告した（台湾紙『聯合報』電子版、二〇一八年一月十三日）。

こうした図式は、二〇一七年十二月にトランプ氏が署名して成立した二〇一八会計年度（二〇一七年十月～二〇一八年九月）の「国防権限法」でも見られた。同法には、国防総省に米海軍艦船の台湾寄港を検討するよう促す項目があり、駐米中国大使館に米議員らを招いた会合で、李克新《りこくしん》駐米公使が「米国の軍艦が高雄に寄港する日は、中国軍が台湾を武力統一するときだ」と台湾への武力行使に言及した。

中台間では二〇一六年五月に台湾で蔡政権が発足して以来、対話は途絶えたままだ。当初は「冷たい平和」状態が続いていたが、最近は前述の威嚇的な発言なども含め、中国の台湾に対する強硬姿勢が目立つようになってきた。二〇一八年一月には、台湾海峡の中間線に近い空域を通過する新航路の運用を一方的に始めるなど、中国は台湾への圧力を強めてきている。

膠着《こうちゃく》した現状を打開したい蔡氏は内閣改造で、対中政策を担当する行政院大陸委員会トップの主任委員を外交官出身の張小月《ちょうしょうげつ》氏から側近の陳明通《ちんめいつう》・台湾大学教授に代えた。陳氏は民進党の陳水扁政権時代、蔡大陸委員会主任委員の下で副主任委員として仕え、その後、主任委員も務めている。

中国も三月の全国人民代表大会（全人代）で、台湾政策を担当する国務院台湾事務弁公室の張志軍主任の後任に、前国連大使で共産党中央委員の劉結一副主任を充てる公算が大きい[＊2]。習近平国家主席は、台湾での反中感情の高まりに有効な手を打てなかった張氏に不満を抱いていると言われる。劉氏は国際社会で中国の立場を妥協せず貫く強硬派として知られており、習氏の意向を受けて新たな台湾政策を進めるとみられる。

双方の政策責任者の交代により、中台関係は新たな段階を迎えるが、米国の出方もからんで、波乱含みで推移しそうだ。

（＊1）「台湾旅行法」は二〇一八年三月、トランプ氏が署名して成立した。

（＊2）劉氏は二〇一八年三月、国務院台湾事務弁公室主任に就任した。

安全保障支える「台湾関係法」

米国が「台湾関係法」を制定してから、二〇一九年四月で四〇年を迎える。米台交流の基礎となっている同法をアピールするため、台湾外交部（外務省）が中心となって三月以降、さまざまな記念イベントを繰り広げる。米歴代政権はこの法律を根拠に台湾の安全保障を支えてきたが、トランプ現政権は法律を補強する動きを強めている。

「台湾関係法」は一九七九年四月十日、当時のカーター大統領が署名して成立した。米国は一月一日に中国と国交を結んで台湾と断交しており、同法は元日にさかのぼって施行された。これは米国の国内法で、外交関係がない台湾との通商や文化など民間交流を推進するよう定めている。

なかでも、台湾にとって重要なのは、台湾の安全が脅かされた場合、「大統領と議会は憲法上の手続きに従い、かかる危険に対応して米国が取る適切な行動を決定する」と規定している点だ。台湾防衛を明言してはいないものの、中国が台湾に武力行使すれば、米国が介入することを認めている。米国は台湾との断交により「米華相互防衛条約」を破棄したが、「台湾関係法」が実質的にそれに代わる役割を果たしてきた。

米中間の最大の摩擦要因となっているのが、「台湾に防御的性格の武器を供与する」という項目だ。米国がこれに基づいて台湾に武器を売却するたびに、中国は「重大な内政干渉」だとして厳重な抗議を繰り返してきた。

米国の台湾への武器供与が順調に進んだわけではない。一九八二年にレーガン政権が発表した米中共同コミュニケでは、「台湾への武器売却を段階的に縮小させ、一定期間を経た後に最終的解決を図る」と約束している。

レーガン大統領はコミュニケ発表前に、台湾の蔣経国総統（当時）に「六つの保証」を伝えている。(1)台湾への武器売却停止の期限を設けない、(2)台湾への武器売却について中国と事前に協議しない、(3)台湾と中国の調停役にはならない、(4)「台湾関係法」の修正には同意しない、(5)台湾の主権に関する立場を変えない、⑹台湾に中国との交渉に入るよう圧力をかけない――というもので、コミュニケを事実上否定する内容だ。

さらに、レーガン氏は「台湾へ提供する武器の量と質は、中国からの脅威に応じて決めることが肝要で、台湾の防衛能力と中国の軍事力の相対的均衡は、量、質ともに維持されなければならない」などと記したコミュニケの解釈に関するメモを作成し、台湾への武器供与についての方針は変えないことを明確にした。

このように複雑な経過をたどりながらも、「台湾関係法」はこの四〇年間、中台関係の安定に貢献してきた。外交部は三月から、安全保障や宗教の自由、法執行協力などをテーマとした国際ワークショップを順次開催し、米台が価値観を共有していることをＰＲする。六月には、米国やカナダの若者三〇人を台湾に招いてリーダー研修を行い、年後半には農産品の対米輸出促進を目的とする訪米団を派遣する。

米国でも、台湾の駐米大使館に相当する台北駐米経済文化代表処が四月に米議員らを招待してレセプションを開くほか、全米各地で「台湾関係法」をテーマにした映像イベントを実施する。

こうした記念行事を通じて、「台湾関係法」制定の立役者であるカーター氏がクローズアップされるだろうが、実は台湾では同氏の評判はよくない。カーター政権は当初、「台湾授権法」を米議会に提出したものの、議会は納得せず、議会主導で大幅に修正して「台湾関係法」を成立させた経緯があるからだ。

カーター氏は一九九九年三月、「台湾関係法」制定二〇周年に合わせて台湾を訪れた。講演で、中国の鄧小平副首相（当時）の強い反対を押し切ったエピソードや、法案を自ら詳細にチェックしたことなどを紹介し、同法制定の功労者であることを強調した。

これに対し、外交部は「米政府から提出された法案はごく簡単なもので、議会で大幅に修正されて現在の内容になった」と反論し、断交当時の外交部次長も『台湾関係法』は民主、共和両党の議員が協力して制定したものだ。カーター氏の発言は事実ではない」とかみつくなど、反発の声が相次いだ。

そのカーター政権も含め、米歴代政権が中台のバランスを取ることに苦心したのに比べ、トランプ政権は台湾寄りの姿勢を鮮明にしている。二〇一八年暮れには、レーガン氏の「六つの保証」を明記し、台湾への定期的な武器売却を促進する「アジア再保証推進法」を成立させた。歴代政権が非公式に受け継いできた「六つの保証」を法制化したもので、「台湾関係法」を後押しする措置と言える。

中国は強く警戒しており、エズラ・ボーゲル米ハーバード大学名誉教授は、米中関係について「貿易戦争より、台湾についての方が危ない」(『日本経済新聞』二〇一八年十月二十六日朝刊)と警告している。

バイデン氏も親台湾路線継続

二〇二〇年十一月三日に行われた米大統領選で民主党のバイデン氏の勝利が確実になり、次期大統領としてどのような中国、台湾政策を打ち出すか、台湾で関心が高まっている。共和党のトランプ現大統領が対中強硬姿勢を前面に押し出し、台湾への肩入れが目立つだけに、選挙戦で「中国寄り」と攻撃されたバイデン氏への交代を警戒する向きもあるが、識者やメディアのあいだでは親台湾路線は維持されるとの見方が強まっている。

トランプ政権は二〇一八年から四回にわたって中国製品に追加関税を課し、現在(二〇二〇年十二月時点）も年間輸入総額三七〇〇億ドル（約三八兆円）相当に対して最大二五パーセントの関税を上積みしている。通信機器大手、華為技術（ファーウェイ）など中国のハイテク製品を排除する措置も続けている。

一方で、「台湾旅行法」を制定して米台高官の相互訪問を促し、アザー厚生長官やクラック国務次官らが訪台して蔡英文総統と会談するなど、台湾との関係を強化してきた。

新型Ｆ16戦闘機六六機など総額一八〇億ドルに上る武器売却を承認し、軍事面でも台湾を支援する。十一月二十日には、ワシントンで米台経済対話の初会合を開き、半導体を中心にしたサプライチェーン（供給網）などについて協力していくことを確認した。

これらの政策は民主党内でも賛同する声が強く、バイデン新政権が大きく転換することはないだろう。国際協調を重視するバイデン氏は、地球温暖化問題などでは中国と連携する構えを見せているが、香港や新疆ウイグル自治区など中国の民主・人権問題には厳しい姿勢を示している。

対中経済政策では、「懲罰的な手法は取らない」と述べており、追加関税を見直す可能性はあるものの、安全保障上の懸念もあって、中国のハイテク企業への制裁は解除しないとみられている。

バイデン氏は外交経験が豊富で台湾との関わりも長く、上院議員時代の一九七九年、米台断交に伴う「台湾関係法」の制定に賛成票を投じている。二〇〇一年三月には他の議員とともに台湾の世界保健機関（ＷＨＯ）オブザーバー加盟を求める書簡をブッシュ（子）大統領（当時）に送っており、同年八月には上院外交委員長就任後初の海外訪問として台湾を訪れ、陳水扁総統（当時）と会談している。

台湾メディアは、バイデン氏の台湾政策について、「一つの中国」原則を支持し、中国の台湾への武力行使には反対だが、台湾が一方的に独立宣言することも認めない。台湾海峡の平和維持のため、中国を過度に刺激したり、挑発したりすることには賛成しない。中国が台湾に武力侵攻した場合、米国が防衛するかどうかは戦略的に曖昧にしておく（台湾『中央通信』二〇二〇年十一月八日）——など、米国で主流となってきた政策を踏襲するとの分析が一般的だ。

こうした状況から、台湾大陸委員会トップの陳明通主任委員が「バイデン氏の対中戦術には一定の変化があるかもしれないが、対中戦略自体に変わりはなく、引き続き台湾を支持するだろう」（『ロイター通信』二〇二〇年十一月九日）との見解を表明するなど、米国の台湾に対する基本方針に変更はないとの楽観論が広がっている。

ただ、「バイデン政権は中国との衝突を緩和しようとするので、台湾が『米中冷戦によって得るボーナス』は減るだろう」（台湾誌『新新聞』二〇二〇年十一月十九—二十五日号）との予測もある。米台経済対話の後、台湾外交部は「今後も毎年、ワシントンと台北で交互に開催する」と強調したが、バイデン政権の出方に不確定な面があるなか、トランプ政権下で築いた良好な関係を「既成事実化」したいとの思いがにじみ出ていた。

一月の蔡氏の総統選再選や五月の二期目の就任式の際、バイデン氏はツイッターなどで祝意を表しており、今回のバイデン氏の勝利宣言に対しては、蔡氏が「さらに友好関係を深め、協力して国際社会に貢献できることを楽しみにしている」とエールを送った。蔡政権にとって、バイデン新政権との確固としたパイプづくりが急務となる。

米国が「台湾代表処」への名称変更許可を検討

米国の首都ワシントンにある台北駐米経済文化代表処の名称を、「台湾代表処」に変更したいという台湾側の申し出を許可するかどうか、バイデン政権が検討している。実現すれば、「台湾」を世界にアピールしたい蔡英文政権にとって大きな外交得点になるが、中国は猛反発している。台湾では、アフガニスタンからの米軍撤収の混乱ぶりを見て、対米依存の危うさを指摘する声も出ており、米国との関係強化に邁進する蔡政権の姿勢が議論を呼んでいる。

駐米代表処の名称変更問題は、二〇二一年九月十一日付の英『フィナンシャル・タイムズ』の報道で明らかになった。三月に蔡政権から正式な要請があり、バイデン政権は十月末にイタリアで行われる二〇カ国・地域（G20）首脳会議の場での開催を探っている米中首脳会談の動向などもにらみ、年内にも最終判断する見通しだという（＊1）。

米国の支援を得て外交攻勢をかける台湾は八月、バルト三国のリトアニアの首都ビリニュスに「台湾代表処」を開設した。リトアニアは一九四〇年に旧ソ連に併合されたものの、一九九一年に独立を果たした経験を持つ。台湾が欧州に代表機関を置くのは二〇〇三年のスロバキア以来一八年ぶりだが、これまでは「台北」の呼称を用いており、「台湾」を名乗るのは初めてとなる。

これに対し、中国は「一つの中国」原則に反するとして、駐リトアニア中国大使を召還して強い抗議の意を示した。台湾の代表機関をめぐっては、南米ガイアナに「台湾弁公室」を設置することで合意しながら、二月に台湾が発表した直後にガイアナが撤回した前例もある。台湾は、ガイアナが国交を有する中国から圧力を受けたためと主張している。

中国は「台湾代表処」は絶対に認めない構えで、駐米代表処の名称変更問題が報じられたのを受け、米国に対しても「厳重な申し入れをした」（外務省の趙立堅《ちょうりつけん》副報道局長）と牽制している。だが、リトアニアの「台湾代表処」開設については、欧州議会や米国、英国など一三議会の外交委員長が支持を表明するなど、欧米はこぞって後押ししている。

一方で、こうした時期に合わせるかのように、八月に米軍の後ろ盾を失ったアフガン政府が瞬く間に崩壊してイスラム主義組織タリバンが全土を掌握し、台湾にも衝撃が走った。最大野党・国民党など対中融和派から「台湾有事が発生すれば、米国は台湾を見捨てるのではないか」と不安視する声が上がり、主要メディアも相次いで「アフガンの教訓」をテーマに論評を掲載した。

このような懸念は米国の同盟国にも広がったため、バイデン大統領は米テレビのインタビューで「北大西洋条約機構（ＮＡＴＯ）の同盟国が攻撃されたら、われわれは（集団的自衛権行使を定めた）条約第五条を守ると誓約しており、反撃する。日本や韓国、台湾に対しても同様だ」と述べ、打ち消しを図った。

この発言は、中国が台湾を武力侵攻した場合、米国が防衛するかどうかは明確にしない「曖昧戦略」を逸脱していたため、米政府高官が「米国の台湾政策に変わりはない」と火消しに追われる一幕もあった。

今のところ、アフガンと台湾を同一視する論調に、台湾の世論が賛同している状況とは言えない。ただ、米国も結局は自国益最優先で行動するという冷徹な現実を見せつけられたことで、台湾紙『聯合報』が「『今日のアフガンは明日の台湾』との見方が強まっている。蔡政権は米国に幻想を抱くのはやめよ」（二〇二一年八月二十日付社説）と警告するなど、アフガン情勢が過度の対米依存の是非論争に一石を投じたかたちとなった。

（＊1）台湾の駐米代表処の名称を「台湾代表処」に変更することを許可する案は「台湾政策法」（後に「台湾強靭《きょうじん》化法」に変更）の当初案に盛り込まれていた。同法は内容の一部が「二〇二三会計年度国防権限法」に組み込まれて成立したものの、代表処の名称変更は積み残しとなった。

2　深まる日本との絆

日本統治時代がブームに

二〇一四年三月七日に大阪で開幕する「第九回大阪アジアン映画祭」のオープニング作品に、台湾映画『ＫＡＮＯ』が決まった。タイトルは「嘉農《かのう》」をローマ字でつづったもので、台湾南部にあった嘉義農林学校（現嘉義大学）の略称だ。日本統治下の一九三一年、夏の甲子園大会で準優勝した同校野球部の活躍を描いた映画で、台湾では二月二十七日に封切られる。

この映画が注目を集めているのは、魏徳聖《ぎとくせい》氏がプロデューサーを務めているからだ。魏氏の監督初作品は、台湾人と日本人の恋愛をテーマにした『海角七号　君想う、国境の南』（二〇〇八年）。第二作は、先住民による抗日暴動「霧社事件」をもとにした『セデック・バレ』（二〇一一年）で、『ＫＡＮＯ』も含め、いずれも日本統治時代にからんでいる。前二作は記録的ヒットとなり、若手の魏氏は一躍、台湾を代表する映画人となった。

台湾ではこのところ、映画以外にも、日本統治時代を題材にした作品が相次いで発表されている。二〇一三年夏には、旧制台北高校を擬人化してその歴史を紹介するユニークな漫画『台北高校物語』が二十代の作者によって出版され、話題を呼んだ。これまでも戦前を描いた小説や映画などは少なくなかったが、最近の作品は若い世代によって、自由な発想で創作されているのが特徴だ。

日本統治時代に光を当てる動きは、映画や文芸界だけではない。台南市で二〇一三年暮れ、往年の有名デパート「ハヤシ百貨店」の修復が終わり、再開業への準備が進められているほか[（＊1）]、かつての高級料亭「鶯《うぐいす》」も修復され、広場として一般開放されるなど、「日本統治時代ブーム」と言っていい状況だ。

こうした現象は、台湾の現状を映し出している。二〇〇八年の国民党の馬英九政権発足以来、中国との関係が急速に改善し、経済や人的交流が活発化してきた。そのなかで、「同族」であるはずの中国人と触れ合う機会が多くなるほど、「どこか違う」と感じる人が増えている。その結果、オランダや清朝、日本などに統治され、外来の文化や風習が溶け合った台湾の重層的な歴史に目が向くようになったのだ。

魏氏は、なぜ日本統治時代に関する映画を手がけるのかとの問いに、「日本に関連する映画を作ろうとしているわけではない。台湾の歴史は50年、１００年、数百年前を振り返っても必ず日本にぶち当たる。いつの時代も日本は台湾に影響を与えてきた」（『毎日新聞』二〇一一年十月二十日朝刊）と述べている。台湾が自らのアイデンティティーを探ろうとすると、日本を避けて通れないのである。

ただ、日本統治時代を経験したお年寄りたちが戦前を懐かしむ傾向が強いのに対し、若者の興味の対象はアニメや漫画、ドラマなど現代の日本に向いている。日本統治に対する評価も「良い点も悪い点もあった。抱くのは感謝なのか憎しみなのか、心情は複雑なままだ」（魏氏）と是々非々の姿勢だ。こうした若い世代が、日本統治時代をこれまでとは違う視点で見つめる動きは、新たな日台関係を築くきっかけになるかもしれない。

（＊1）「ハヤシ百貨店」は二〇一四年六月、林百貨店として開業した。

修復され一般開放されたかつての高級料亭「鶯」（2019年8月17日、台南市）

災害で差し伸べ合う支援の手

　神戸華僑歴史博物館で二〇一五年二月十二日から二十八日まで、特別展「震災二〇年と新しい絆」（主催・同博物館、後援・神戸市、共催・南京町商店街振興組合）が開かれた。一九九五年一月の阪神・淡路大震災から二〇一五年で二〇年となったのを機に、華僑が多く暮らす神戸の復興ぶりや、祖国である中国や台湾での大規模な自然災害に際し、華僑がどのように支援に取り組んできたかを写真やパネルで紹介したものだ。

　この特別展を見て印象深かったのは、日本と中国、台湾で災害が起こると、華僑の枠を超えて双方の市民が義援金を集めたり、ボランティア活動を行ったりして、支え合ってきたことである。

　とくに日台は、日本側の阪神・淡路大震災、東日本大震災（二〇一一年三月）、台湾側の台湾大地震（一九九九年九月）、台風八号による大水害（二〇〇九年八月）など最大級のものを含め災害が頻発しているが、そのたびに互いに手厚い援助の手を差し伸べるのが恒例になっている。

東日本大震災では、台湾が二〇〇億円を超える世界でも突出した義援金を寄せてくれたことは、まだ記憶に新しい。これについて、大使館に相当する台北駐日経済文化代表処の馮寄台《ひょうきたい》代表（当時）は「台湾大地震では日本が支援してくれた。今度はそのお返しです」と話していた。

台湾大地震が発生したとき、私は新聞社の特派員として台北で勤務していたので、馮氏の言うことは実感としてわかる。日本の救援隊は台湾中部の被災地に各国のなかで一番乗りし、懸命の救助活動を繰り広げた。日本隊の規律・礼儀正しさは評判を呼び、台湾のメディアも連日のように取り上げ、感謝の声が広がった。

何より、台湾と接するのに中国の意向を気にしがちだった日本が真っ先に救助隊を派遣したことが、台湾の人たちの心を打ったのである。日本隊が帰国する際、空港ロビーに居合わせた台湾の人たちから大きな拍手が巻き起こった。その後も、日本から多くのボランティアが台湾を訪れ、復興の手助けをした。

一方、二〇〇七年三月の能登半島地震では、観光客が急減して地元経済が苦境に陥るなか、国際チャーター便で能登空港に到着し、海外から初めて被災地入りしたのは台湾の旅行客だった。

このような交流の積み重ねが、「困ったときに助けてくれる相手こそ真の友人」という意識を根づかせ、日本と台湾の絆を強めてきたのだ。

日台は、災害への対応や被災地再建のノウハウも共有してきた。阪神・淡路大震災では、台湾から多くの視察団が現地を訪れ、救助や復興について知識を深めた。台湾大地震が起きると、阪神・淡路大震災の復興関係者が台湾に来て、行政が地域のコミュニティーを無視して被災者を仮設住宅に入居

台湾大地震で倒壊したホテル兼マンション（1999 年 9 月 21 日、台北市）

させたことで孤独死や自殺者を生んだ失敗を繰り返さないよう説いたりした。台湾大地震では、軍の素早い救助・復旧活動や個人補償の柔軟な運用など、日本が学んだことも多かった。

　日本も台湾も、地震や台風など自然災害が絶えない。相手側の被害を自分たちのこととして捉えることができる日台の相互支援関係は、これからいっそう強まっていくだろう。

正常化が進む日台関係

　台北市内で二〇一七年三月二十五日に開かれた、日本の地域の魅力を紹介するイベント「多彩日本」に、赤間二郎副総務相が出席した。一九七二年の日台断交後、公務として台湾を訪れた日本政府高官としては最高位となる。二〇一七年に入って、日台それぞれの交流窓口機関が実態に即した名称に変更するなど日台関係の正常化が進んでいる。

　赤間氏は開幕式典で「日台は緊密な関係を持

つ素晴らしいパートナーだ」と訴え、東日本大震災での台湾からの支援に謝意を表明した。一方、終了後には、「台湾とは民間の実務関係を維持していくことに変わりはない」と報道陣に述べた。

副総務相の訪台について、中国外務省の華春瑩《かしゅんえい》報道官は、日中間の過去の合意内容に「明確に違反する」と主張し、「日本は口先では『台湾問題における（中国との）約束を守る』と言いながら、実際の行動では何度も挑発している」と批判した（『毎日新聞』二〇一七年三月二十八日朝刊）。

これに対し、菅義偉官房長官は、「日本と台湾の経済関係や人の往来をさらに深めていく観点から意義がある」として、副総務相の訪台は問題ないとの認識を示した。

一月には、日本の対台湾交流窓口機関である「交流協会」が、名称を「日本台湾交流協会」に変更した。カウンターパートである台湾の対日交流窓口機関「亜東関係協会」も「台湾日本関係協会」に名称変更することを決め、手続きを進めている（＊1）。

これらは今の日本人の感覚からすれば当然のことで、むしろなぜこれまで行われなかったのかと疑問に思う人も少なくないだろう。だが、過去の日台関係はもっといびつだった。

たとえば、外務省は一九八〇年、国家公務員の台湾出張は「課長級未満」に限定するという内規を設けた。このため、台湾で開かれる実務会議には、その場で意思決定する権限のない課長補佐までしか参加できず、台湾側の不満を招いていた。二〇〇二年になって、ようやくこの内規は「課長級以下」に改められ、課長の出張が可能になった。

二〇〇五年には、愛知万博を機に、日本政府は台湾人観光客に査証（ビザ）なしでの入国を認めた。日本人観光客が台湾に行く場合は、ビザは不要だったので、これで対等になった。二〇〇七年には、他国とのあいだでは以前から行われていた運転免許の相互承認が日台間でも実施され、観光客はレンタカーを借りて各地を巡るなど、多様な観光ができるようになった。

こうした措置は、日本政府が中国に気を使うあまり、過度に台湾との交流を制限してきたという側面が強い。今回の副総務相訪台や交流窓口機関の名称変更に対して、中国は反発を示したものの、外交問題に発展するような反応ではなかった。

折しも四月には、日台間の絆の強さを象徴する出来事が相次いだ。日本統治時代に台南市の烏山頭ダムの建設を指導し、「台湾農業の恩人」と慕われる八田與一技師の銅像が、元台北市議によって頭部を切断される事件が起きたが、台南市政府や地元の水利組合、博物館などが協力して、すぐに修復に取りかかった。東京の赤坂御苑で開かれた春の園遊会では、皇后陛下が台湾人の夫を持つ卓球の福原愛選手に、東日本大震災での心遣いについて台湾の関係者にお礼を伝えてほしいとお言葉をかけられた。

日台間には外交関係はないが、こうした交流の積み重ねがある。日本は台湾とは民間・実務交流に限るという現実を踏まえつつ、普通の感覚で「おかしい」と思えることは変えていくべきだ。

（＊1）二〇一七年五月に「台湾日本関係協会」に改称した。

副総統が安倍元首相の葬儀に参列

二〇二二年七月八日に安倍晋三元首相が銃撃され死亡した事件は、台湾にも大きな衝撃と悲しみをもたらした。親台湾派として知られていた安倍氏への追悼ムードが広がるなか、頼清徳副総統が日本を訪れ、葬儀に参列した。一九七二年の日台断交後、現職副総統の訪日は一九八五年の李登輝氏と並ぶ最高位で、日台関係の緊密さを象徴するかたちとなった。

安倍氏と親交のあった蔡英文総統は日本の駐台湾大使館に相当する日本台湾交流協会台北事務所を訪れ、「台日の友情への貢献に感謝します」と記帳した。蔡氏の指示で、七月十一日には政府機関や公立学校で半旗が掲げられた。

同事務所の前には、有志らによって高さ約二メートルのメッセージボードが設置され、多くの市民が安倍氏をしのぶ言葉を書き込んだ。台湾でもっとも高いビル「台北一〇一」には、「台湾の永遠の友」「感謝安倍首相」などのメッセージがともされた。

そのように台湾でさまざまな追悼行事が繰り広げられているさなかの十一日午後、頼氏は急遽《きゅうきょ》日本入りし、東京都渋谷区の安倍氏宅を弔問した。港区の増上寺で同夜に営まれた通夜と十二日に執り行われた葬儀にも参列した。

十一日は駐日大使に当たる謝長廷・台北駐日経済文化代表処代表も同行したが、台湾外交部は「親しい友人」としての頼氏の私的な行動だとして、コメントを控えた。林芳正外相も「私人として訪日したものと承知している」と述べるにとどめた。

中国外務省の汪文斌副報道局長は記者会見で「台湾当局は機に乗じて政治的策略を巡らせているが、その企ては成功しないだろう」と非難し、日本側に「厳正な申し入れ」を行ったことを明らかにしたものの、反発は抑制的だった。

頼氏は二〇二四年の台湾総統選で与党・民進党の候補者となる可能性が高いとみられている有力政治家である。どのような経緯で訪日が実現したのだろうか？

台湾メディアの報道を総合すると、頼氏と安倍氏本人や家族との関係が鍵だったようだ。頼氏は立法委員（国会議員）や台南市長時代から安倍氏や家族と交流があった。とくに、訪日時はいつも安倍氏の実弟の岸信夫防衛相と会い、岸氏が台湾を訪れた際はもてなしていた。二〇二〇年に岸氏が訪台したときも、自ら台南美術館に案内している。

今回、頼氏は安倍氏の死去を知って岸氏にお悔やみの電話をし、葬儀日程が決まった九日になって参列の許可を受けたという。蔡氏も頼氏のスムーズな訪日に向け、外交部に全力でサポートするよう命じた。台湾との関係を重視する米国政府が後押ししたとの情報もある。

また、謝氏も安倍家と太いパイプを築いていた。謝氏は安倍氏の母洋子氏を展覧会や演奏会に招くなどして交流を深め、洋子氏は東京で開かれる台湾の国慶日に当たる十月十日の双十節（辛亥革命記念日）祝賀式典には毎年のように参加していた。

六月には台湾で民間団体「安倍晋三友の会」が成立するなど、安倍氏は日台の議員交流の中心的存在だった。謝氏は、安倍氏に面会して訪台を要請し、快諾の返事をもらっていたエピソードをフェイスブックで紹介している。

そんな安倍氏がいなくなり、台湾で今後の日台関係を心配する声も出ているが、「長年台湾を支援してくれた安倍氏の立場は日本の政界に強い影響を与えており、この路線は引き継がれていくだろう」（王尊彦《おうそんげん》・国防安全研究院副研究員）との見方が一般的だ。

九月二十七日には東京で安倍氏の国葬が行われる。台湾を代表する出席者について、蔡政権は頼氏を「前例」としたいところだが、中国が横やりを入れる可能性もあり、日台関係の先行きを占う試金石となりそうだ（＊1）。

（＊1）安倍氏の国葬には、台湾を代表して蘇嘉全《そかぜん》・台湾日本関係協会会長、王金平元立法院長（国会議長）、謝氏の三人が参列した。

3　国際社会での立ち位置

南シナ海で主張する領有権

米中間の火種になっている南シナ海問題で、台湾も領有権を誇示する行動に出た。二〇一五年十二月十二日、陳《ちん》威《い》仁《じん》内政部長（内政相）が南沙（スプラトリー）諸島で台湾が実効支配する太平島を訪れ、埠頭や灯台の完成式典に出席したのだ。

南シナ海には南沙のほか、東沙（プラタス）、中沙（マックレスフィールド岩礁群）、西沙（パラセル）の四諸島がある。このうち、台湾は地理的に近い東沙諸島の唯一の島である東沙島を一九四五年から実効支配している。中沙諸島の黄岩島（スカボロー礁）と西沙諸島についても、台湾は中国、ベトナム、フィリピンとともに領有権を主張している。

四諸島のなかで対立が激化しているのが、台湾と中国、ベトナム、マレーシア、フィリピン、ブルネイが領有権を争う南沙諸島だ。

二〇一三年から中国が大規模な埋め立てを進めて滑走路などを造成し、各国の反発を招いている。二〇一五年十月には、中国が領海と主張する人工島の一二カイリ（約二二キロ）以内に米海軍がイージス駆逐艦を進入させる「航行の自由」作戦を実施し、緊張が高まった。

南沙諸島には海域の定義によって九六から二三〇までの島嶼があり、最大の島が太平島（約〇・五平方キロメートル）だ。南シナ海の諸島はかつて日本が占領していたが、戦後、台湾（中華民国）が接収した。軍艦を派遣して測量し、主要な島にはその軍艦の名前をつけた。軍艦「太平号」が活動した

現代中国の精神史的考察

——繁栄のなかの危機

栄剣［石井知章監訳］

ハンナ・アーレント、ハイデガーの思索を導きに、あるいはロナルド・コースの経済学を頼りに、現代中国を俯瞰する、精神史的考察。（8月下旬刊）

四六判■3300円

現代台湾クロニクル

2014―2023

近藤伸二

対中関係、外交、内政、経済、社会の6つの直近10年間の変貌ぶりが手に取るようにわか

（8月下旬刊）

四六判■2750円

ベルク裁判（上）

1946

ハネス・レープ［芝健介監修・森篤史訳］

ら裁判、判決、処刑まで、「平和に

、「人道に対する罪」に鉄槌を下

新刊

エクス・リブリス

真の人間になる（上・下）

甘耀明［白水紀子訳］

一九四五年夏、日本人も犠牲となった「三叉山事件」をモチーフに、ブヌン族の少年の成長を描き、台湾・中華圏の文学賞を制覇した感動の大作！（8月上旬刊）

四六判■各2640円

エクス・リブリス

終わりのない日々

セバスチャン・バリー［木原善彦訳］

アイルランド移民のトマスは女としてのアイデンティティーに目覚める中、恋人ジョンと共にインディアン戦争、南北戦争を戦っていく。

四六判■3740円

白水Uブックス　1137

執事とメイドの裏表［増補版］

——イギリス文化における使用人のイメージ

新井潤美

イギリスの使用人に対する社会的イメージと実情を、文学や諷刺、各種記録から考察する。新たに「雇われているが使用人ではない職」の章を追加。

島は「太平島」と呼ばれるようになった。

台湾は一九四六年に太平島に兵員を駐留させて以来、実効支配を続けている。二〇〇七年末には、一〇〇〇メートル級の滑走路を建設した。

その太平島に二〇〇八年二月、台湾の総統として初めて上陸したのが民進党の陳水扁総統である。台湾南部の屏東基地で軍の輸送機に搭乗し、南西約一六〇〇キロにある同島を訪れ、駐留部隊を慰問し、滑走路の完成式典に臨んだ。

島に降り立った陳氏は「台湾固有の領土」とアピールし、「台湾は南シナ海に関わる当事国として、南シナ海の紛争を、国連憲章と国連海洋法条約に基づいて平和的に解決することを周辺各国に求めたい」と演説した（『読売新聞』二〇〇八年二月三日朝刊）。フィリピン外務省が「地域の平和と安定をめざす関係諸国の努力に逆行する行為だ」との声明を発表するなど、周辺国からは非難の声が上がった。

当時は三月二十二日の総統選を目前に控えた時期で、住民のあいだで陳政権の度重なる失政や相次ぐ金銭スキャンダルに対する失望感が広まり、国民党の馬英九候補が優位に立っていた。陳氏の太平島視察は、台湾の「主権」を強調することで台湾人意識を高め、選挙戦を有利に進めようとするねらいがあった。

太平島をめぐっては、台湾メディアは二〇一五年、馬総統が訪問する計画があると報じていた。陳氏と同様、一月十六日に迫った総統選で劣勢を挽回できない国民党の朱立倫候補を支援する思惑があったのだろう。結果的に見送ったのは、南沙諸島の領有権問題の過熱を懸念する米国が難色を示したからだと言われている[(*1)]。

二〇〇八年の総統選は結局、馬氏が大勝した。南シナ海問題を選挙戦に利用しようとしても、一度離れた有権者の心を取り戻すのは容易ではないのが現実だ。

（＊1）馬氏は総統選後の二〇一六年一月二十八日、太平島を訪問した。

仲裁裁判所判決の衝撃

南シナ海をめぐるオランダ・ハーグの常設仲裁裁判所が二〇一六年七月十二日に言い渡した判決は、中国だけでなく台湾にも大きな衝撃を与えた。台湾が実効支配している南沙諸島の太平島を「島」ではなく「岩」だと認定したからだ。台湾の世論は強く反発しているが、蔡英文政権は国際社会との協調も図らなければならず、難しい立場に立たされている。

判決は、中国が南沙諸島で埋め立てを進めている七つの岩礁について、人が住めない「岩」か高潮時に水没する「低潮高地」と判断しただけでなく、「南沙諸島において、満潮時も冠水しないすべての地形は法的に『岩』だ」と指摘した。太平島も含まれるが、「岩」だと資源開発が独占的に認められる排他的経済水域（ＥＥＺ）や大陸棚を設定できない。

台湾は太平島に一〇〇〇メートル級の滑走路を建設し、海岸巡防署（海上保安庁）の職員ら二〇〇人以上が常駐する。二〇〇八年二月には陳水扁、二〇一六年一月には馬英九と当時の総統が訪問した。そうした「実績」があるだけに、台湾政府には判決の内容は予想外だったようだ。

総統府は判決当日、「絶対に受け入れられない。判決は中華民国（台湾）に対して法的な拘束力はない」との声明を発表した。翌日には、太平島周辺海域に海軍のフリゲート艦を派遣し、出発前に乗船した蔡総統は「南シナ海諸島と関連海域におけるわが国の権利を大きく損なった」と判決を批判した。

立法院（国会）も共同声明を採択し、「太平島は天然の島嶼であり、岩ではない」と強調したうえで、「南シナ海や周辺海域で有する中華民国の権利を常設仲裁裁判所が一方的に決定することを一切承認しない」と切り捨てた。七月二十日には、立法院の外交・国防委員会に所属する与野党の立法委員ら八人が軍用機で太平島を訪れ視察した。

判決が台湾の反感を招いたのは、太平島の認定についてだけではない。台湾を「中国の台湾当局」と呼んでいることや、審理の過程で台湾に意見を表明する機会を与えなかったことについても抗議している。

この問題をめぐっては、七月二十六日にラオスで開かれた東南アジア諸国連合（ＡＳＥＡＮ）地域フォーラム（ＡＲＦ）で、日米が中国に判決受け入れを迫り、中国が猛反発して対立が激化した。一方で、その前日に行われたＡＳＥＡＮ外相会議では、南シナ海で中国と領有権を争うフィリピンやベトナムなどが共同声明で判決に言及するよう主張したが、中国から経済援助を受けるカンボジアなどの反対で見送りとなるなど、ＡＳＥＡＮ内で意見が割れている。

領土問題はナショナリズムを刺激するだけに、蔡氏もこの問題では強い態度を示さざるを得ない。だが、中国と距離を置き、日米やＡＳＥＡＮなどとの関係を強化したい蔡政権の立ち位置は微妙だ。

蔡氏は七月十九日に開いた諮問機関の国家安全会議で、南シナ海問題について、(1)国際法及び国連海洋法条約に基づいて平和的に解決する、(2)南シナ海で領有権を主張する各国・地域は、航行の自由を守る義務がある——など四原則を提示した。基本姿勢は変えないものの、国際社会への配慮もうかがえる。

判決は日台関係にも影響する可能性がある。判決後、台湾では「太平島が島ではないと言うなら、はるかに小さい沖ノ鳥島が島であるはずがない」（蔡宝興《さいほうこう》・屏東琉球区漁会総幹事）として、日本の海上保安庁が二〇一六年四月、沖ノ鳥島（東京都）周辺海域で操業する台湾漁船を拿捕したことに対し、あらためて日本に謝罪と賠償を求める声が上がっている。

日台間では「海洋協力対話」が行われる予定だが、台湾側は沖ノ鳥島周辺海域での漁業問題を重視する方針を示しており、情勢は複雑さを増している。

狭まる活動空間

台湾の蔡英文総統が二〇一八年五月二十日、任期四年の折り返し点を迎えた。これまで対外関係では、中国からの圧力で四カ国との断交に追い込まれ、ＷＨＯ総会への参加も阻まれるなど、蔡政権は苦しい展開を強いられている。内政面では道半ばの課題が多く、蔡氏の支持率は低迷したままだ。

　蔡氏は就任二年当日、インターネットユーザーの質問に答えるかたちのビデオレターを公開し、対中政策について「情勢に変化の兆しがあり、調整が必要と考える人もいるようだが、現状維持を主軸にした政策は変えない」と強調した。

　そのうえで「われわれは実力を備えた国家であり、世界や地域という盤面で、指し手として重要な役割を果たす資格がある」と述べた。

　発言の背景には、「一つの中国」原則を認めない蔡政権に対する中国の攻勢が強まっている現状がある。

　中国は台湾と外交関係のある国の切り崩しを進め、蔡政権の発足以来、西アフリカのサントメ・プリンシペ（二〇一六年十二月）、中米パナマ（二〇一七年六月）、カリブ海のドミニカ共和国（二〇一八年

台湾の外交関係をめぐる状況

地域	外交関係を持つ国（2023年6月現在）	蔡英文政権下で断交した国
中南米・カリブ諸島	グアテマラ パラグアイ ハイチ ベリーズ セントビンセント・グレナディーン セントクリストファー・ネビス セントルシア	パナマ ドミニカ共和国 エルサルバドル ニカラグア ホンジュラス
太平洋諸島	ツバル マーシャル諸島 パラオ ナウル	ソロモン諸島 キリバス
欧州	バチカン	
アフリカ	エスワティニ	サントメ・プリンシペ ブルキナファソ
合計国数	13	9

出典：台湾外交部

五月一日）、西アフリカのブルキナファソ（同年五月二十四日）の四カ国が台湾と断交し、中国と国交を結んだ。台湾が外交関係を持つ国は一八カ国と過去最少になった。[*1]

国民党の馬英九政権だった二〇〇九年から二〇一六年までオブザーバー参加が認められていたＷＨＯ総会にも、二〇一七年、二〇一八年と二年連続で招かれなかった。中国の反対が理由とみられており、台湾の国際社会での活動空間は狭まってきている。

軍事面でも、戦闘機などがたびたび台湾を周回するような軌道で飛行したり、台湾周辺の海域で頻繁に軍事演習を実施したりするなど、中国軍の威嚇的な行動が続いている。

経済面でも、台湾を訪れる中国人観光客は馬政権の二〇一五年には年間四一四万人に上ったが、二〇一六年は三四七万人、二〇一七年は二七〇万人と減少した。中国当局が団体客を規制したのが原因で、台湾の観光関連業者には打撃

中台それぞれの訪問者の推移

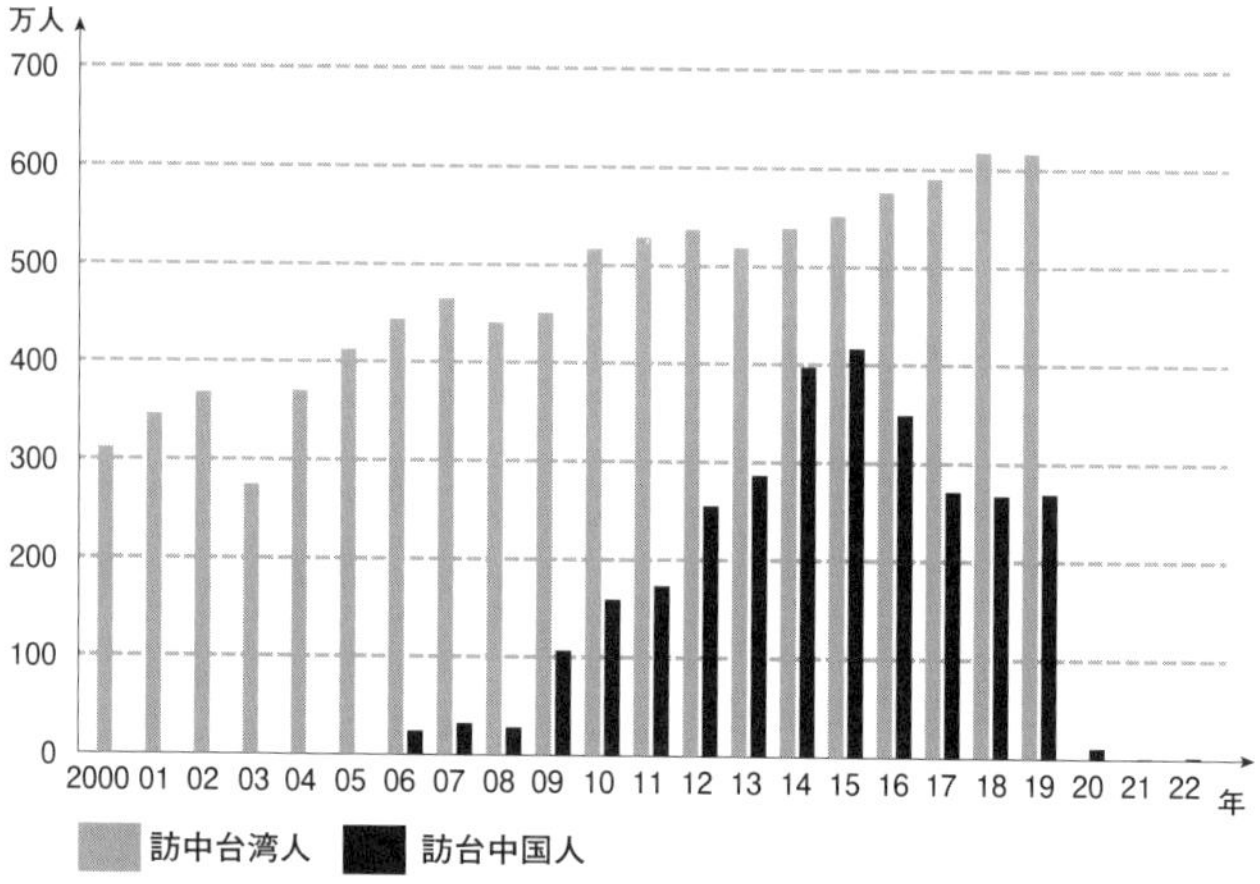

出典：台湾行政院内政部、中国文化和旅遊部、中国国家統計局より著者作成
注：中国側は2020年以降、訪中台湾人数を発表していない。

となっている。

　こうした中国のやり方に対して、台湾では「中台関係の『現状』はすでに崩れている」として対中政策の変更を求める声も出ているが、蔡氏はあくまでも現状維持の立場を堅持する方針を示した。

　それには、最近の米国との関係緊密化が影響している。米国は二〇一八年三月に米台の高官の相互訪問を促進する「台湾旅行法」を成立させたほか、潜水艦の建造技術の供与も認めるなど、台湾との連携強化策を相次いで打ち出している。

　米国が蔡政権の現状維持路線を評価しているからで、蔡政権が独立寄りの姿勢に転じれば、米国の支持を得られなくなる恐れがある。蔡政権にとっては、対米関係の進展は絶好のアピール材料だが、トランプ大統領の真意は読みにくいだけに、蔡氏は「台湾は米中の取引のコマではなく、主体的なプレーヤーだ」と訴えたかったようだ。

内政面では、年金改革や脱原発、同性婚合法化など世論を二分するような政策に取り組んでいるが、まだ目立った成果は挙がっていない。二〇一七年の経済成長率は二・八六パーセント（二〇一六年は一・五〇パーセント）と近年では比較的高い伸びとなったが、住民は実感を持てないのが現実だ。

ケーブルテレビ大手ＴＶＢＳが五月に実施した世論調査では、蔡氏に「満足」との回答は二六パーセントにとどまり、「不満足」は六〇パーセントに達した。秋に統一地方選を控え、各党の候補者選びが本格化している。二〇一九年には、二〇二〇年の総統選に向けた動きが活発化してくる。住民を納得させる結果を出すことができるか、蔡氏にとっては時間との戦いでもある。

（注1）台湾はその後も断交が相次ぎ、外交関係を持つ国は二〇二三年六月時点で一三カ国になっている。

揺らぐバチカンとの関係

キリスト教カトリックの総本山バチカン（ローマ教皇庁）と中国が二〇一八年九月二十二日、長年対立してきた司教の任命問題で暫定合意に達し、台湾とバチカンの外交関係が揺らいでいる。バチカンが中国と国交を正常化すれば、台湾との断交は避けられないためだ。蔡英文政権は全力で阻止する構えだが、取り巻く環境は厳しさを増している。

中国は、バチカンの司教任命権が内政干渉に当たるとして、建国二年後の一九五一年に断交した。一九五七年には、「中国天主教愛国会」を設立し、独自に司教を任命してきた。対立が続いたが、二〇〇〇年代以降、水面下で交渉が行われ、歩み寄りの動きが目立つようになってきた。

暫定合意は、中国の王超《おうちょう》外務次官がバチカンの代表団と北京で会談し、双方が文書に署名して達成された。詳細は明らかにされていないが、バチカン側はこれまで承認してこなかった中国独自任命の司教七人の正統性を認めた。

背景には、約一〇〇〇万人と推計される中国国内のカトリック信者の存在がある。当局の介入を拒む聖職者や信者は、ローマ教皇に忠誠を誓って「地下教会」を組織したが、熾烈《しれつ》な弾圧にさらされている。バチカンは中国と関係を改善することで、中国国内の信者の安全を確保するとともに、布教を拡大したいという思惑がある。ただ、暫定合意には、「バチカンの中国への譲歩」との批判も強い。

一方、台湾にとって、バチカンとの外交関係は欧州で唯一であるだけでなく、「台湾では信教の自由が保障されている」と国際社会にアピールする意味もあった。それだけに、暫定合意の衝撃は大きく、頼清徳行政院長（首相）は立法院での質疑で、「中国とバチカンの司教任命権をめぐる協議と国交の問題は別だ。政府はバチカンとの外交関係維持に努めていく」と火消しに追われた（台湾『中央通信』二〇一八年九月二十二日）。

中国の断交圧力はアフリカにも及んでいる。中国と国交のあるアフリカ五三カ国の首脳らが一堂に会する「中国アフリカ協力フォーラム」が九月初め、北京で開かれた。習近平国家主席は開会式の演説で、今後三年間で六〇〇億ドル（約六兆六〇〇〇億円）の経済支援を表明したが、対中債務の一部免除措置について「中国との外交関係」を条件にすると明言した。

フォーラムにはアフリカで唯一、台湾と外交関係を持つエスワティニ（旧スワジランド）は参加しなかった。これに対し、中国の陳暁東《ちんぎょうとう》外務次官は八月下旬の会見で、エスワティニに「遠くない将来、国交を樹立できると信じる」と呼びかけるなど、台湾との断交工作を進める姿勢を明らかにしている（『日本経済新聞』二〇一八年八月二十三日朝刊）。

このように苦境に陥っている台湾に手を差し伸べるのが米国だ。九月初め、台湾と断交して中国と国交を結んだドミニカ共和国、エルサルバドル、パナマの中米三カ国駐在の米大使を召還し、抗議の意思を示した。

台湾をめぐってはこのところ、中国の圧力強化と米国の支援というパターンが繰り返されている。だが、中国の外交圧力に対抗する有効な手段はないのが実情で、台湾では閉塞感が強まっている。

香港とは断絶の危機

台湾と香港の政府間関係が急速に悪化し、双方の出先機関がともに正常に機能しない事態になっている。台湾への圧力を強める中国の習近平政権の意向が反映された結果とみられるが、このまま公式の交流が断絶すれば、台湾と香港の緊密な経済関係にも影響が出るのは避けられない。

香港政府は二〇二一年五月、台湾に置く出先機関、香港経済貿易文化弁事処の業務を突然停止し、全職員を帰任させた。その理由について、香港政府は「暴力的なデモ隊や犯罪者を台湾が支援しているため」と説明した。具体的には、香港で大規模抗議活動に対する当局の取り締まりが強まったのに対応し、台湾政府が二〇二〇年、香港からの移住者専用の窓口を開設し、積極的に受け入れてきたことを指している。

また、香港政府は六月、台湾政府が香港に構える出先機関、台北経済文化弁事処の職員がビザを更新する条件として、台湾は中国の一部であるとする「一つの中国」原則を支持する誓約書への署名を要求した。職員八人のうち七人は拒否して帰還し、残る一人も七月三十日のビザ期限切れを前に、同二十一日に台湾に戻った。残務は現地採用の職員が引き継ぐ。

こうした香港政府の措置について、台湾政府で対中政策を所管する大陸委員会トップの邱太三《きゅうたいぞう》主任委員は「わが国を矮小化する政治条件を認めることはできない」（台湾紙『自由時報』電子版、二〇二一年六月二十一日）と強い不満を表明した。

台湾と香港の交流の歴史は長く、香港が英国植民地だった一九六六年、台湾の出先機関として中華旅行社が設置され、ビザ発給など領事館に相当する業務を行ってきた。一九九七年に香港が中国に返還されてからも中華旅行社は業務を継続してきたが、国民党の馬英九政権時代の二〇一一年になって、他国の出先機関と同じ呼称の台北経済文化弁事処に改めた。

香港政府が台北経済文化弁事処に注文をつけるようになったのは、民進党の蔡英文政権に代わった二〇一八年からだ。香港政府は、弁事処長に指名された盧《ろ》長水《ちょうすい》氏に「一つの中国」誓約書への署名を求め、盧氏が応じなかったため、ビザを出さなかった。弁事処は、駐在する台湾人職員を処長代理に据えてしのいできたが、香港政府は今回、署名の対象を職員にまで広げ、事実上の業務停止に追い込んだ。

政治的対立が深刻化する台湾と香港だが、経済面では互いに重要なパートナーだ。二〇二〇年の台湾から香港への輸出額は四九〇億ドル（約五兆四〇〇〇億円）に上り、輸出総額の一四・二パーセントを占めた。二〇二〇年一年間の台湾から香港への投資額は九億一一〇〇万ドルで、全体の五・一パーセントに当たる。

金額の大きさだけではなく、台湾から香港への輸出は大半が中国本土に再輸出され、投資も台湾企業が中国に進出する拠点として香港を利用するケースが多く、香港が中台の橋渡し役を担ってきた。蔡政権になって、中台間の直接対話は途切れたままだが、台湾と香港のパイプも細れば、中台の意思疎通はますます困難になる。

　この背景には、デモや集会、言論の自由などの面で中国が香港に対する統制を強め、「一国二制度」が形骸化するなか、中国はもはや香港を「特別な場所」として扱わなくなった現状がある。習政権は、香港を経由して中台間の貿易や投資を促進するメリットを捨ててでも、台湾への締め付けを強める構えで、東アジアの経済構造やサプライチェーンにも変化をもたらす可能性がある。

急速に縮まる欧州との距離

　議員団の派遣や要人の訪問受け入れなど、欧州が台湾に急接近している。欧州はこれまで中国との経済関係に配慮して台湾とは一定の距離を置いてきただけに、その方針転換は台湾が中国の統一圧力に対抗していくうえで頼もしい援軍となりそうだ。

　二〇二一年秋になって、欧州と台湾の交流が相次いだ。まず十月初旬、フランス上院議員団四人が台湾を訪れ、蔡英文総統と会談した。団長のリシャール元国防相は三度目の訪台となる親台湾派として知られ、蔡氏は台仏の友好促進に大きな貢献があったとして勲章を授与した。

　十一月初めには、欧州連合（ＥＵ）の欧州議会の代表団七人が、初めて公式に台湾を訪問した。代表団は蔡氏と会談し、今後いっそう協力を強めていくことで一致した。

　一方、台湾の呉釗燮外交部長は十月末に欧州を歴訪し、スロバキアで開かれた国際会議で演説したほか、ＥＵ本部のあるブリュッセルで欧州議会やベルギー国会の議員と会談し、ＥＵと台湾の投資協定について協議した。

　陳建仁前副総統も十一月下旬、東欧を訪れ、ポーランドのアウシュビッツ博物館で台湾との協力関係を象徴するプレートの除幕式に出席し、リトアニアでは民主主義をテーマにしたフォーラムで講演した。

人的な行き来だけでなく、ＥＵは九月に発表したインド太平洋戦略で、台湾と経済的な交流を活発化していく方向性を打ち出した。十月には、欧州議会が台湾と政治的な関係も強化するよう勧告する文書を採択した。英国が空母を台湾周辺に派遣して米国と合同軍事演習を行うなど、軍事面でも台湾に肩入れする構えを見せている。

地理的に中国や台湾と遠いこともあり、欧州は従来、中国の武力行使も含めた台湾統一工作について日米ほど切迫した危機感を持っていなかった。台湾と民主や人権といった価値観を共有しながらも、「実利」を優先して中国と緊密な経済関係を築いてきたのが実情だ。

ここへきて急速に台湾への傾斜を強めているのは、台湾支援を鮮明にする米バイデン政権と共同歩調を取る意味合いがある。中国寄りだったドイツのメルケル首相が在任一六年で退任することも影響しているとみられる。

また、中国の強硬な対外姿勢が目立つようになってきたことや、習近平政権が鳴り物入りで進めてきた巨大経済圏構想「一帯一路」に期待したほどの成果がなかったことなどから、欧州の中国離れが加速した面もある。世界的に半導体不足が深刻化し、半導体の一大生産拠点である台湾の存在感が増したことも一因と言える。

中国は一連の欧台接近の動きに強く反発し、十一月六日には戦闘機一六機が台湾の防空識別圏に侵入した。台湾の蘇貞昌行政院長と游錫堃立法院長、呉氏の三人を「台湾独立」勢力との理由で、中国への入国禁止などの制裁措置に踏み切るなど、さまざまな方法で台湾に圧力をかけてきている。

ただ、欧州は台湾との関係再構築にかじを切ったとはいえ、中国が重要な貿易・投資相手である状況は変わらない。十月の呉氏の訪欧では、イタリア訪問が直前になってキャンセルされるなど、国によって温度差があるのが現状だ。欧州としては中国との経済面での結び付きは維持したいのが本音だろうが、中国の報復措置もあり得るなか、どこまで台湾との関係を深めていくつもりなのか、「本気度」が問われる。

4　世界の舞台に打って出る

APECで野党党首に託した使命

南米ペルーの首都リマで二〇一六年十一月下旬に開かれたアジア太平洋経済協力会議（APEC）首脳会議に、台湾の総統特使として野党・親民党の宋楚瑜主席が参加し、中国の習近平国家主席や日本の安倍晋三首相と会談するなど活発な外交を繰り広げた。台湾代表に野党党首を指名するという異例の人選には、蔡英文総統の実務重視の方針がうかがえる。

日台のメディアによると、宋氏は現地時間十一月十九日、習氏と一〇分あまり話し合い、中台の経済交流や台湾の中小企業に対する優遇策の維持を求めた。二十日には、安倍氏と約二〇分にわたって会談し、経済・文化をはじめとする日台間の協力を蔡政権下でも引き続き発展させていくことで一致した。安倍氏は中台関係について「当事者間の直接対話により平和的に解決し、地域の平和と安定に寄与することを期待する」と述べた。

このほか、宋氏は十七日と十八日、二度にわたってケリー米国務長官と会談し、この年のAPEC

のテーマである「質の高い成長と人間開発」について意見交換するなどした。一度目の会談には、米国のアジア太平洋地域政策のキーマンであるラッセル国務次官補も同席した。十九日にはロシアのプーチン大統領とも接触している。

蔡氏は出発前に宋氏と会見し、⑴経済発展のための新たなチャンスを持ち帰ること、⑵世界の政治・経済情勢が変化するなか、地域経済統合の進展状況を細かく把握すること、⑶地域経済統合への参加に向けた台湾の願いを国際社会に伝えること――の三点の任務を指示していた。

この背景には、台湾を取り巻く環境が厳しさを増している現状がある。蔡政権は環太平洋連携協定（ＴＰＰ）と東アジア地域包括的経済連携（ＲＣＥＰ）への加盟を重点目標に掲げているが、十一月の米大統領選でＴＰＰ離脱を主張する共和党のトランプ氏が当選したことで、ＴＰＰの発効が危ぶまれる事態になっている。相対的にＲＣＥＰの存在感が高まっているが、ＲＣＥＰは中国が主導しており、台湾の加盟は中国の意向に左右される。

こうしたなか、蔡氏が使命を託したのが宋氏だった。宋氏は国民党で秘書長を務めるなど豊富なキャリアを持つベテラン政治家で、中国や米国とも太いパイプを築いており、二〇一四年五月に北京で習氏と会談したこともある。

国際機関への加盟が限られる台湾にとって、ＡＰＥＣは貴重な外交活動の場だ。一九九一年の韓国ソウル会議で、「チャイニーズ・タイペイ（中華台北）」の名称で中国、香港と同時加盟した。一九九三年の米シアトル会議から始まった首脳会議には、中国の圧力で台湾の総統は参加できず、特使を派遣するのが慣例となっている。

これまでは元副総統や経済閣僚、経済人などが特使を務めるのが一般的だった。今回、蔡氏があえて野党党首を指名したのは、宋氏の人脈と行動力で、実質的な成果を挙げることを期待したためだろう。宋氏は総統府顧問の資政にも任命されるなど、蔡氏の信頼が厚い。

トランプ次期大統領がどのような外交政策を打ち出してくるのかはっきりせず、世界に不透明感が広がっているが、台湾もその方向次第では、重大なダメージを受ける恐れがある。蔡政権の与野党総動員の「オール台湾」外交はこれからも続くだろう。

「マスク外交」で弾みをつける

新型コロナウイルスの防疫対策で世界的に高い評価を受けた台湾が、外交攻勢を強めている。増産したマスクを各国に贈る「マスク外交」で存在感を示したのに続いて、東アフリカの未承認国家・ソマリランド共和国や北太平洋の米領グアムに在外公館を設けることが決まった。二〇一六年に民進党の蔡英文政権がスタートしてから、外交関係を持つ国は減少する一方だったが、反撃に転じる兆しを見せている。

台湾外交部は二〇二〇年七月一日、ソマリランドに台湾代表処を、台湾にソマリランド代表処を相互に開設することで合意したと発表した。台湾はソマリランドの医療スタッフの訓練を引き受けるなど、友好関係を築いていた。

ソマリランドは「アフリカの角」と呼ばれる突起した部分に位置し、人口約四〇〇万人。漁業資源が豊富で、石油や天然ガスなどの埋蔵も確認されている。一九九一年にソマリア共和国から分離・再独立を宣言したが、国際的には承認されていない。

形式的にはソマリアの一部ということになるが、「住民はソマリランドとソマリアとはまったく別の国であるという認識が強く、ソマリアと比べて政治、経済、治安のすべてが格段に安定しており、統合の可能性はきわめて低い」（廣瀬陽子著『未承認国家と覇権なき世界』ＮＨＫ出版）というのが実態だ。

また、台湾外交部は七月三日には、グアムに台北経済文化弁事処を再設置することで米国の同意を得たことを明らかにした。駐グアム弁事処は二〇一七年に運営を停止していたが、米国との関係が深まってきたことや太平洋の戦略的な重要性を考慮し、再開を決めた。台湾が米国の国内や海外領土に置く在外公館はこれで一三カ所となる。

このように台湾が外交面で勢いづいてきた背景として、「マスク外交」で弾みをつけた点は見逃せない。コロナ対策でいち早くマスクの増産に乗り出した台湾は、四月には日産一五〇〇万枚まで生産能力を高め、欧米と友好国に計一〇〇〇万枚のマスクを寄贈した。その後、六〇〇〇万枚を追加し、日本にも二〇〇万枚を贈った。どの国もマスク不足に苦しむなか、台湾製は質もいいとして感謝され、国際的なイメージアップに大きく貢献した。

これに対し、もともとマスク製造大国である中国も、自国の感染拡大が一段落してから、世界一五〇カ国にマスクや医療物資を配り、台湾と張り合うかたちとなった。医療専門家チームも派遣するなど、習近平国家主席は「健康のシルクロード」と称して、広域経済圏「一帯一路」の保健衛生版のような構想を披露している。

米中対立の影響を受け、米国が肩入れする台湾と中国の関係も険しさを増しているものの、コロナ禍以降、国際世論は台湾には援軍となっている。中台の外交合戦全体からすれば、ソマリランドやグアムとの関係強化は小さな一歩かもしれないが、友好国の奪い合いで中国に押されっ放しだった蔡政権の外交が一歩でも前に進んだ意味は小さくない。

活発化する李登輝元総統の弔問外交

二〇二〇年七月三十日に九十七歳で死去した李登輝元総統の弔問を機に、各国が台湾との交流強化に乗り出している。日本がいち早く森喜朗元首相を団長とする訪問団を派遣すると、米国は現職閣僚のアザー厚生長官を送り、それぞれ蔡英文総統と会談した。蔡政権は九月十九日に追悼式を、十月七日に埋葬式を執り行うことにしており、弔問外交が活発化しそうだ。

八月九日に日帰りで台湾を訪れた日本の一行は、海外からの最初の弔問団となった。森氏のほか、超党派の議員連盟「日華議員懇談会」の古屋圭司会長ら計一一人が参加した。

森氏は台北市の総統府で蔡氏との会談に臨み、「総理から電話があり、私に行けということだとわかった」と経緯を披露し、安倍晋三首相の名代であることを強調した。蔡氏は謝意を表明し、「来年の東京五輪の成功に向け、全力で支援する」とエールを送った。

続いて、弔問団は総統府に近い台北賓館に設けられた追悼会場に赴き、李氏をしのんだ。森氏は首相在任中の二〇〇一年、中国の反対を押し切って、総統を退任した李氏に訪日ビザを発給した縁があり、「お互い人間としての友情や尊敬は一度も揺らぐことはなかった」と弔辞を述べた。

入れ替わるように九日夕、アザー氏が到着した。米国の閣僚級としては六年ぶりの台湾入りで、米政府は一九七九年に台湾と断交して以来、最高位の訪問と位置づけている。トランプ政権が二〇一八年に高官の相互往来を促進する「台湾旅行法」を成立させてから、初めての閣僚訪台となった。

四日間の滞在中、アザー氏は蔡氏だけでなく、呉釗燮外交部長や新型コロナウイルスとの戦いで一躍名を上げた陳《ちん》時《じ》中《ちゅう》衛生福利部長（衛生相）とも会談し、台湾の感染症対策を称賛した。双方は医療や衛生の協力に向けた覚書を締結し、今後、研究や人材の交流などで連携していくことを確認した。

米国はＷＨＯからの脱退を宣言しており、新組織を立ち上げるかどうかが焦点となっている。アザー氏は「ＷＨＯ脱退後も世界の公衆衛生の向上に力を尽くし、適切な方法を模索していく。台湾とも協議したい」と語り、新組織を創設する場合、台湾もメンバーに加える可能性を示唆した（台湾『中央通信』二〇二〇年八月十日）。

アザー氏は、今回の訪台は二、三カ月前から準備していたことを明らかにしており、たまたま李氏の死去と時期が重なったかたちだったが、最終日に追悼会場を訪れ、弔意を表した。台湾の民主化を進めた李氏の功績をたたえることで、中国に民主主義の重要性を突きつけるねらいもあったようだ。

こうした米国の姿勢に、中国は「どんな口実であっても、米台間で政府高官が行き来することに断固として反対する」（外務省の趙立堅副報道局長）と反発を強めた。台湾の国防部（国防省）によると、アザー氏と蔡氏の会談が始まる一時間前に、中国軍機が台湾海峡の中間線を越えて台湾側の空域に入るなど、中台間の軍事的緊張も高まった。

台湾で四年に一度開かれる総統就任式は例年、海外から多数の来賓が参加し、世界の目が台湾に注がれる場となる。だが、新型コロナウイルス感染拡大の影響で、五月の式典は大幅な規模縮小を余儀なくされた。蔡政権は、李氏の追悼式や埋葬式に海外の要人を招くかどうかは各国の感染状況も考慮して決める方針だが、国際社会に台湾の存在をアピールする機会にしたい考えとみられる。

ウクライナ侵攻で強まる対中警戒

二〇二二年二月二十四日に始まったロシアによるウクライナ軍事侵攻は、台湾にも大きな衝撃をもたらした。権威主義の大国が周辺国・地域を力ずくで抑え込もうとする構図が中国の台湾統一と重なるためで、蔡英文政権も警戒を強めている。ただ、ウクライナの激しい抵抗によって、ロシアのプーチン政権がもくろんだ電撃的な制圧は失敗に終わったことで、短期的には中国の対台湾武力行使は遠のいたとの見方も出ている。

蔡総統は中国がこの機に乗じて台湾への軍事的圧力を強化する恐れもあるとみて、台湾軍に中国側の動向を厳重に監視するよう命じた。中国が仕掛けるフェイクニュースなどの情報戦への備えも関係省庁に指示するなど、対応に細心の注意を払っている。

当初、台湾メディアでは「今日のウクライナは明日の台湾」と危機感をあおる論調が主流だった。プーチン大統領はロシアとウクライナとの歴史的な一体性を強調しており、「台湾は歴史的に中国の不可分の領土」とする中国の主張と共振するためだ。二月四日の北京冬季五輪開幕に合わせて訪中したプーチン氏と中国の習近平国家主席が会談して間もない軍事行動だったことも、憶測を呼ぶ一因となった。

台湾の最大の関心事は、中国が台湾に武力侵攻した場合、米国が参戦するかどうかだ。ウクライナはＮＡＴＯに加盟していないため、今回の侵攻で米国は直接的な軍事介入はしていない。台湾有事に関しても、軍事支援については態度を明確にしない「曖昧戦略」を貫いている。

二〇二一年八月にアフガニスタンでイスラム主義組織タリバンが権力を掌握した際は、米国がアフガン政府を見捨てたとの批判もあった。それだけに、ウクライナ侵攻を受け、最大野党・国民党は「（台湾への）支持や軍事援助といった外国の口約束をあてにしすぎてはいけない」と蔡政権にくぎを刺した。

そうした台湾社会の動揺も、バイデン米政権が三月二日、マレン元米統合参謀本部議長が率いる代表団を派遣し、蔡氏に台湾支援を伝えたことで、落ち着きを見せた。同十八日に行われたオンライン形式の米中首脳会談でも、バイデン氏は習氏に台湾海峡での中国の威圧的、挑発的な動きにあらためて懸念を表明した。

このような事情もあって、台湾とウクライナの相違点に着目する報道も目立つようになった。ビジネス誌『商業周刊』二〇二二年三月号は、台湾とウクライナを比較し、⑴ロシアと地続きのウクライナと違って、中台間には台湾海峡が横たわり、攻略は難しい、⑵台湾は半導体供給できわめて重要な役割を果たしており、もし攻め込まれると世界の産業が大混乱する――などと指摘した。

さらに、ロシアの攻撃にウクライナが粘り強く応戦していることや、日本を含む主要七カ国（G7）がロシアに厳しい経済制裁を科すことで足並みをそろえたことなども、台湾の世論に変化をもたらしている。与党・民進党が緊急開催したシンポジウムで、羅致政《らちせい》・同党国際部主任は「ウクライナ情勢を見ると、中国が近く、最後の手段（武力行使）に訴える可能性は低い」との見解を示した。

一方で、中国共産党系メディアの『環球時報』（英語版）が二月二十五日付の記事で「（中国が台湾に武力行使しても）米国が出兵する見込みはない」と論じるなど、中国が台湾の人びとの士気を低下させようとする情報戦略を進めている様子もうかがえる。

蔡氏はツイッターに「軍や国家安全部門は二四時間体制で状況を把握し、台湾を守っている。準備は万全なので、安心してほしい」と投稿するなど、住民に冷静さを保つよう呼びかけている。

第4章 山積する課題に取り組んだ内政

1 一筋縄ではいかないコロナ対策

厳格な初動措置に踏み切る

中国湖北省武漢市で発生した新型コロナウイルスは、アジアを中心に海外にも感染が広がり、台湾も大きな試練にさらされている。蔡英文政権は重症急性呼吸器症候群（ＳＡＲＳ）の教訓を生かし、厳格な水際対策を講じているが、経済への打撃は避けられない。台湾の世界保健機関（ＷＨＯ）加盟問題もクローズアップされ、加盟を支持する声が高まっている。

蔡政権は二〇二〇年二月六日、中国住民（香港・マカオを除く）の入境を禁じ、台湾から中国への渡航禁止も勧告した。香港・マカオを含む中国を訪れた台湾人や、香港・マカオの住民も台湾入りしてから二週間外出禁止にした。外国人も中国滞在から二週間たっていなければ、入境を認めない措置に踏み切った。

二〇〇二年から二〇〇三年にかけてＳＡＲＳが流行した際、台湾では七〇人以上の死者が出た。今回は先手の対応で臨み、感染者は四〇人（三月一日現在）にとどまっている。だが、死者も一人出ており、小中学校の授業開始を遅らせたり、大型イベントを延期したりするなど、混乱が続いている。台湾は対外投資の半分以上が中国向けだが、湖北省は対中投資全体の一・五パーセント（金額ベース、二〇一九年末までの累計）と少ない。同省は武漢市を中心に自動車生産拠点となっているが、台湾が得意とする産業ではないからだ。

しかし、新型コロナウイルスは、ＩＴ（情報技術）関連の台湾企業が多く進出している浙江省や広東省などにも感染が拡大しており、今後、台湾経済へのダメージは深刻化しそうだ。

ＥＭＳ（電子機器の受託製造サービス）世界最大手の鴻海精密工業は、米アップルのｉＰｈｏｎｅの組み立てを行っている河南省や広東省の工場を、当初は春節（旧正月）明けの二月十日から再開する予定だったが、地元政府の承認が得られず、一週間程度延期せざるを得なかった。

こうした状況から、台湾行政院（内閣）は二〇二〇年の実質経済成長率の見通しを、二〇一九年十一月時点の予想より〇・三五ポイント低い前年比二・三七パーセント増に下方修正した。

新型コロナウイルス感染騒動は、台湾をめぐる政治・外交問題も浮かび上がらせている。感染予防のため中国便の発着を停止したイタリアは、「台湾は中国の一部」とするＷＨＯの見解に従い、台湾便も対象とした。フィリピンも中国からの入国禁止措置に台湾も含めた。

これに対し、台湾の呉釗燮外交部長（外相）は「台湾は中国の一部ではなく、独自の検疫を実施している」と抗議し、フィリピンは間もなく撤回したが、こうした非常事態においても「一つの中国」原則が台湾を圧迫する現実が浮き彫りになった。

一方、ＷＨＯ加盟問題では、追い風が吹いている。蔡総統は「世界の感染防止網に穴を開けるべきではない」と台湾の加盟を訴え、カナダのトルドー首相が支持を表明した。安倍晋三首相も衆院予算委員会で「政治的な立場で排除するなら、地域全体の感染防止は難しい」と述べ、台湾を支援する姿勢を示した。

欧州一〇カ国の国会議員一〇五人は連名あるいは個別に、台湾を中国の一部とするＷＨＯの見解を批判し、二〇二〇年度のＷＨＯ総会に台湾を招くよう求める書簡をテドロス事務局長宛に送った。

このような国際社会の後押しもあって、ＷＨＯが二月十一日、十二日に行った研究会合には、テレビ会議ではあったが、台湾の専門家も参加することができた。二〇一六年に蔡政権が発足して以来、ＷＨＯから締め出されていただけに、外交部（外務省）報道官は「意義ある進展だ」と評価した。こうした台湾側の動きを、中国側は「疫病を口実にした政治工作だ」と非難しており、中台の溝は深まっている。

ウイルス封じ込めに成功

新型コロナウイルスの感染が拡大し、世界中が対応に追われるなか、先手で臨んでＩＴも有効活用する台湾の蔡英文政権の防疫対策が、各国から称賛を集めている。日本にとっても参考になるので、具体的な取り組みを紹介しよう。

まず目を引くのは、いち早く検疫や入境禁止措置を講じたことだ。発生源の中国湖北省武漢市が原因不明の感染症の発生を公表した二〇一九年十二月三十一日から、即座に武漢直行便の検疫を始めた。二〇二〇年一月二十一日に台湾で初めて感染者を確認したのは、直行便の検疫で判明した武漢帰りの台湾人女性だった。

一月二十六日に湖北省住民の台湾入境を禁じ、二月六日には対象をすべての中国人に拡大した。三月五日に中国全土からの入国制限に踏み切った日本より一カ月早い。

中国は一月の台湾総統選をにらみ、蔡政権への圧力として、二〇一九年八月から台湾への個人旅行を禁じている。九月以降、中国からの訪問客は前年同月と比べて半減しており、中国人の入境禁止を決断しやすい環境ではあった。

とはいえ、二〇一九年一年間で中国から二六八万人が台湾を訪れており、国・地域別ではもっとも多い。台湾から中国への訪問客も年間六一三万人（二〇一九年）に上り、中国との往来遮断は経済的にも影響は大きく、難しい判断を迫られたはずだ。

日本の多くのメディアも報じているのが、政府による厳格なマスク管理だ。台湾でも年明けには、マスクが手に入らない状態が続いた。そこで台湾内での増産を図るとともに、一月二十四日からは輸出を禁止した。

さらに二月六日から、政府がマスク全量を買い上げ、全国約六〇〇〇店の指定薬局に必要分だけ配給するようにした。薬局では、保険証で身分確認し、大人は一週間に二枚（三月上旬からは三枚）に限って販売している。

ＩＴ担当閣僚の唐鳳《とうほう》（オードリー・タン）氏らが指定薬局の所在地やマスクの在庫状況をホームページ上で公開し、これを利用したアプリやサイトが開発された。これにより、住民はスマートフォンなどで近くの指定薬局の場所や在庫量が一目でわかるようになった。三月十二日からは、ネット上で予約してコンビニで受け取るシステムもスタートし、薬局で並ぶ必要もなくなった。

今回のような非常事態下では、一枚でも多くマスクを入手したいと思うのが庶民の心理だろう。供給量が不足するなか、政府は公平性を最優先し、住民も政府の方針を理解して協力することで、社会的な混乱は回避できた。日本政府がマスク転売規制を打ち出したのが三月十五日だったことからしても、台湾政府の迅速さは際立つ。

蔡政権がこのようにスピーディーに対処できたのは、SARSが流行した二〇〇三年、陳建仁副総統が行政院衛生署長（現衛生福利部長＝衛生相）として陣頭指揮に当たっており、政府内で危機感を共有できた点が大きかったようだ。

中央感染症指揮センターのトップである陳時中衛生福利部長が連日、記者会見で丁寧な説明をしていることも好感を呼び、ケーブルテレビ大手TVBSが二月二十五、二十六日に実施した世論調査によると、政府の新型コロナウイルス対策について、「非常に満足」「まあ満足」と答えた割合は計八二パーセントに達した。

ただし、台湾でも感染者は増え続け、四月一日現在で三二九人に上っており、先行きは予断を許さない。蔡政権も世界的に感染が終息するまで気が抜けない状況であるのは、他国と変わりはない。

止まらない感染拡大

台湾の蔡英文政権は二〇二一年五月二十日、二期目の発足から丸一年となり、二年目に入った。このタイミングに合わせるかのように、新型コロナウイルス感染が急拡大し、市民生活に大きな影響が出ている。蔡総統の支持率は急低下し、コロナ封じ込めで「優等生」と称賛された蔡政権は一転して、苦境に立たされている。

コロナ感染は、五月十日ごろから急速に広がった。一日当たりの感染者数は、十四日までは二桁に食い止めていたが、十五日には一八五人に急増。このうち海外で感染した輸入症例を除く台湾域内での感染者は一八〇人で、二〇二〇年来、累計一六四人に抑え込んでいた域内感染者数を一日で上回った。域内感染者は五月十七日に過去最高の五三三人を記録して以来、高止まりする日が続いている。

今回の感染拡大は四月下旬、英国の変異株に感染した中華航空の国際貨物便パイロットが桃園国際空港に到着後、滞在していた空港近くの隔離用ホテルで、同僚やホテル従業員ら三〇人以上の感染が確認されたのがきっかけだった。

詳しい感染経路はまだ明らかになっていないが、台湾メディアによると、ホテルは隔離ルールをしっかり守っていなかったとされる。海外からの入境者は二週間の隔離が義務づけられているが、人手不足を理由に、パイロットは特例で三日間に短縮されたばかりだった。

さらに、ゲームセンターや女性が接待する飲食店などでも集団感染が発生し、市中感染が爆発的に増えていった。

感染対策を担当する中央感染症指揮センターは五月十五日、台北市と隣接する新北市の防疫警戒レベルを四段階の上から二番目に当たる「三」に引き上げた。両市で、屋内で五人以上、屋外で一〇人以上の集まりが禁じられたほか、全土で映画館やゲームセンター、カラオケ店などの娯楽施設も休業を命じられ、街中から人影が消えた。

すべての幼稚園、小中高校、大学・専門学校は十九日から二十八日まで一斉に登校禁止となり、オンライン授業に切り替えた。六月に予定されていた上場企業の株主総会も七月に延期された。

ワクチン確保の面では、台湾は大幅に後れを取っており、五月末時点での接種率は、世界最低水準の約一・五パーセントにとどまっている。蔡総統は中央感染症指揮センターを視察し、「輸入ワクチンはこれから次々と届く。七月末までに、開発中の台湾製ワクチンの供給も始める」と訴えたが、住民の不安は収まっていない。

蔡政権に対する住民の不満は、コロナ対策だけではない。四月二日には、東部の花蓮県で台湾鉄路管理局（台鉄）の特急列車が脱線して四九人が死亡する事故が発生したが、台鉄は二〇一八年にも特急列車が脱線して一八人が死亡する事故を起こしており、二〇一二年以来の脱線事故は九九件に上っている。

台鉄については以前から、財政難による設備の老朽化や民営化を拒否する労働組合など、多くの課題が指摘されてきた。二〇一八年の事故を受けて、二〇一九年一月に行政院の専門チームは一四四件もの改善点を挙げた報告書をまとめたが、いまだに正式承認されていない。蔡氏は四月の事故後、「台鉄改革は必ずやる」と強調したが、台鉄の杜撰な安全管理体質を放置してきた蔡政権への批判が強まっている。

このほか、大規模停電や水不足など、市民生活に直結するトラブルも後を絶たず、蔡政権には逆風が続いている。

ＴＶＢＳが五月十七日に発表した世論調査では、蔡氏の支持率は四一パーセントで、一年前の二期目就任時の六一パーセントから二〇ポイントも下がった。不支持率は四四パーセントで、二期目としては初めて、不支持率が支持率を上回った。米国との関係強化など外交面では得点を稼ぐ蔡政権だが、内政面で足元が揺らいでいる。

ワクチン確保で後れを取る

新型コロナウイルスの感染拡大が続く台湾で、ワクチンの入手や接種をめぐって混乱が深まっている。蔡英文政権は日米から供給を受けて一息ついたものの、まだ必要数を確保できておらず、野党は批判を強めている。中国のワクチンを受け入るかどうかで政治問題にもなっており、与野党の対立が激しさを増している。

二〇二一年五月十日ごろから急速に広まった感染は六月になっても収まらず、感染者数は同月末現在で累計一万四八〇四人に上っている。蔡政権のワクチン調達は後れを取り、人口約二三〇〇万人に対し、五月末時点で八五万回分にとどまっていた。

政府のワクチン対策については、蘇貞昌行政院長（首相）が二月、「台湾では今、ワクチンを打つ切迫性はない。各国の状況を見て、今後の政策を決める」（台湾紙『聯合報』電子版、二〇二一年二月二十二日）と述べるなど、認識の甘さが指摘されている。

問題を複雑にしているのが、中国からのワクチン供与の申し入れだ。蔡政権は中国製ワクチンの品質への不信感や「統一工作には応じない」との姿勢から拒否している。

また、蔡総統は、独ビオンテックから購入することで合意したものの、中国の上海復星医薬が台湾も含む中華圏での販売代理権を獲得したため、ワクチンが入らなくなったとして、「中国の介入で契約が遅れている」と批判した。

これに対し、国民党など野党は蔡政権を「市民の生命より政治を優先する殺人政権」と非難し、総統府前で大規模な抗議デモを行い、中国製ワクチンの受け入れを迫った。

ここで台湾に救いの手を差し伸べたのが日本だった。英アストラゼネカのワクチン一二四万回分の提供を決め、六月四日に空輸した。その理由について、茂木敏充外相は参院外交防衛委員会で「台湾は東日本大震災の際、いち早く義援金を送ってくれた。困ったときには助け合いが必要だ」と説明している。

蔡氏は「言葉では言い尽くせないほど感謝しています」とツイッターに書き込み、台湾は一時、日本への感謝ムード一色となった。日本政府は、七月中旬までに追加で一〇〇万回分を贈る意向を表明している。米国も支援に乗り出し、六月二十日、二五〇万回分の米モデルナのワクチンを届けた。

窮地に立たされていた蔡政権には力強い日米の援軍だったが、数量がまだ十分ではないうえに、アストラゼネカのワクチンを打った高齢者が相次いで死亡したと報道されたこともあって、住民の不安は解消していない。

何とか混乱を収めたい蔡政権は、鴻海精密工業創業者の郭台銘氏と半導体受託生産世界最大手の台湾積体電路製造（ＴＳＭＣ）に、当局の代理としてビオンテックとのワクチン調達交渉を認める権限を与える異例の措置に踏み切った。両者とも中国と太いパイプを持つことから、上海復星医薬との調整は可能と判断して任せたものだが、ビオンテックは基本的に各国の政府や当局としか交渉しない方針を掲げており、先行きは不透明だ。[＊1]

こうした状況のなか、ＴＶＢＳが六月十日に公表した世論調査によると、蔡氏の支持率は三八パーセントで五月の就任一年時から三ポイント下がり、不支持率は四九パーセントと五ポイント上がった。

蔡政権は切り札と頼む台湾の製薬会社、高端疫苗生物製剤（メディゲン・ワクチン・バイオロジクス）が開発したワクチンについて、早ければ七月末から供給できるとの見通しを示しているが、できるだけ早く効率的かつ効果的に接種を進めていけるかどうかが、情勢安定化の鍵を握っている。[＊2]

（＊1）鴻海とTSMCは二〇二一年九月、それぞれ上海復星医薬から一億七五〇〇万ドルで五〇〇〇万回分のビオンテック製ワクチンを購入し、台湾当局に全量を無償提供した。

（＊2）高端製ワクチンの接種は二〇二一年八月から始まった。

「ウィズコロナ」政策に転換

台湾で新型コロナウイルス感染拡大が続いている。一日の新規感染者数は数万人で推移し、累計も三〇〇万人を超えた。背景には、蔡英文政権の「ゼロコロナ」から「ウィズコロナ」への政策転換がある。感染者の増加は想定していたとはいえ、二〇二二年十一月の統一地方選に影響する事態にもなっており、ここをどう乗り切るか、蔡政権は正念場を迎えている。

感染者はオミクロン株が初めて確認された二〇二二年一月から増え始め、四月になって勢いが加速した。五月二十七日には九万四八五五人と過去最高を記録し、累計数は七月三日現在で三八七万五二八人に上っている。

蔡政権は二〇二〇年に流行が始まって以来、感染ルートを特定し、厳格な水際対策や隔離を徹底する「ゼロコロナ」政策で封じ込めてきた。二〇二一年五月にデルタ株が蔓延《まんえん》したときも、感染者は一日数百人規模に抑えていた。

だが、オミクロン株は潜伏期間が短く、感染力は強いが、重症にはなりにくいという特徴がある。そこで、二〇二二年四月から「新台湾モデル」と呼ぶ「ウィズコロナ」政策に切り替えた。

「重症者ゼロ、軽症者をコントロール、正常な生活」のスローガンを掲げ、重症者に対する医療確保を優先するのが基本方針だ。これまで感染者はすべて隔離施設に収容していたが、軽症者や無症状者は自宅待機とし、隔離期間も十日から七日に短縮した。

六月以降、感染者数は緩やかに減少傾向に転じているものの、感染急拡大に伴い、外出できず、自宅に食料などを届けてもらわなければならない人が絶えない。「ウィズコロナ」政策に踏み切った当初は、検査キットが品不足で手に入らず、薬局に行列ができたこともあった。蔡政権は三回目、四回目のワクチン接種を急ぐ構えだ。

こうしたなか、六月十二日には中央感染症指揮センターの責任者である陳時中衛生福利部長の感染が発表された。陳氏は台北市長選で与党・民進党の候補となることが有力視されていただけに、五カ月後に迫った選挙の行方も不透明さを増してきた。

最大野党・国民党は、台北市長選に蔣介石のひ孫の蔣万安立法委員（国会議員）を擁立することを決定している。まだ四十三歳と若く、血筋の良さや米国の大学院修了という経歴などから国民党のホープ的存在で、高い人気を誇っている。同市長選には、民衆党の柯文哲市長の後継指名を受けた黄珊《こうさん》珊《さん》副市長も出馬を表明している。

陳氏はコロナ感染が広がってから、毎日のように記者会見に臨み、知名度は抜群だ。蔣氏の対抗馬として最適とみられていたが、自ら感染したことで、メディアでは「『防疫英雄』のイメージが傷つき、参戦には不安が生じている」（台湾『中央通信』二〇二二年六月十八日）との見方も出ている。民進党は陳氏の回復状況なども考慮して候補者を選ぶ予定で、林佳龍元交通部長（交通相）らの名前も取りざたされている。(*1)

五月二十日に蔡総統が二期目の任期四年の折り返し点を迎えたのに合わせて民間シンクタンクの台湾民意基金会が実施した世論調査によると、支持率は四六・二パーセントで前月から三・七ポイント下がった。

重要政策のうち「不満」に感じる項目は「国産ワクチンの促進」が四八・五パーセントを占めてトップとなり、「経済対策」（四四・八パーセント）、「司法改革」（四三・九パーセント）、「対中関係」（三九・二パーセント）などを上回った。二期八年の任期の四分の三を終え、政権運営総仕上げの時期に入った蔡氏にとって、コロナ対策が最大の課題となっている。


（＊1）二〇二二年十一月の台北市長選には、民進党・陳氏、国民党・蔣氏、民衆党の支持を受けた無所属の黄氏が出馬して事実上の三つどもえの争いとなり、蔣氏が当選した。第1章4「統一地方選でふたたび大敗」参照。

2 リベラル・独立志向政党ならではの看板政策

動き出した脱原発政策

台湾の蔡英文政権が、民進党が党是とする脱原発に向けて動き出した。行政院は二〇一六年十月二十日、電気事業法改正案を閣議決定し、段階的な電力自由化と「二〇二五年に原発ゼロ」の目標を明確にした。改正案は立法院（国会）で審議され、年内の成立をめざす。

電力自由化は二段構えで、まず一～二年半かけて再生可能エネルギー事業への民間参入を促すとともに、六～九年かけて公営の台湾電力を改革し、発送電を分離する。その後、すべての電力を対象に全面的な自由化に乗り出す。

民進党は党綱領で「原発の新設に反対し、一定期間内に既存原発も閉鎖する」とうたっており、蔡総統も脱原発と再生可能エネルギーの振興を公約に掲げてきた。改正案について、蔡氏は「これは

『原発なき社会』に向けた一歩であり、エネルギー転換のスタートだ。早急に再生可能エネルギーの割合を一定の水準まで高めたい」と述べている。

現在（二〇一六年十一月時点）、台湾には北部と南部の三カ所に計六基の原発がある。二〇一五年の総発電量に占める原子力の比率は、石炭（三六パーセント）、天然ガス（三五パーセント）に次ぐ一六パーセントだった。

北部で建設中の第四原発は九割以上工事が終わっているが、二〇一一年の東日本大震災に伴う東京電力福島第一原発事故をきっかけに台湾でも反原発の世論が強まったため、国民党の馬英九政権は二〇一四年に建設を凍結し、稼働するかどうかは住民投票で決めることにした。

第四原発をめぐっては、民進党の陳水扁政権が二〇〇〇年に建設中止を命じたものの、国民党が主導する立法院が反発して対立し、結局、陳政権は中止撤回に追い込まれた経緯がある。

既存の原発六基は二〇一八年十二月から二〇二五年五月にかけて順次、四〇年の運転期間が終了する。電気事業法改正案には「二〇二五年を全原発停止の年限とする」と明記されており、原則として期限延長はできない。

総発電量に占める再生可能エネルギーの割合は、今のところ約三パーセントにすぎない。蔡政権は二〇二五年までに太陽光発電や風力発電などへの投資を拡大させ、二〇パーセント程度に引き上げる計画だ。原子力の代替エネルギー確保の意味合いだけでなく、新たに一〇万人の雇用を生み出す新産業としての側面も重視している。

だが、太陽光パネルや風力発電設備を設置できる用地が不足しているとの指摘もあり、産業界からは電力不足や電気料金の値上がりを危惧する声が上がっている。とくに、大量の電力を必要とするI

Ｔ企業には死活問題になりかねず、半導体受託生産で世界最大手のＴＳＭＣは、電力の供給状況によっては、投資計画の見直しもあり得るとの見方を示している。

産業界では、水、電力、土地、労働力、高度人材の「五つの不足」が投資への懸念材料として挙げられている。二〇一六年五月には、ＳＮＳ（交流サイト）大手の米フェイスブック[＊1]が、検討中と伝えられていた中部・彰化県でのデータセンター開設について「現時点で予定はない」と表明した。水や電力の安定供給が見込めないことが原因の一つとみられており、産業界の憂慮が現実化したかたちとなった。

蔡政権は、電力購入価格の二〇年間保証など電力の安定供給に力を入れる方針を強調し、不安解消に躍起になっている。住民の生活や経済に悪影響を与えることなく、原子力から再生可能エネルギーへの転換が図れるか、手腕が問われる。

（＊1）二〇二一年十月、メタに改称した。

同性婚合法化で二分する世論

台湾立法院で、アジア初となる同性婚の合法化に向けた民法改正案の審議がヤマ場を迎えている。合法化の実現で人権重視をアピールしたい蔡英文政権だが、反対論も高まっており、賛否をめぐって世論は真っ二つに割れている。

民法改正案は、立法院で多数を占める与党・民進党の立法委員が提案した。「婚姻は男女の当事者自らが決める」と定めた条文のうち、「男女」を「双方」に変更する。結婚できる年齢は、現行では男性が十八歳以上、女性が十六歳以上と規定されているが、女性も十八歳以上にして男女統一し、性

デジタル発展部発足に伴い、蘇貞昌行政院長（左）から初代部長の辞令を受ける唐鳳氏（2022年８月27日、台北市）［行政院ニュースサイトより］

による区別をなくす。

保守的で家父長的な風潮が根強いアジアのなかで、台湾は同性愛など性的少数者（ＬＧＢＴ）への理解が深いと言われる。台北市内では二〇〇三年からＬＧＢＴによるパレード「台湾同志遊行」が行われており、二〇一六年十月のパレードにはアジア各地からの来訪者も含め八万人以上が参加した。蔡総統も自身のフェイスブックに「すべての愛は平等だ」と書き込んで、同性婚への支持を表明した。

蔡政権は二〇一六年十月、男性から女性に性転換したトランスジェンダーのプログラマー、唐鳳（オードリー・タン）氏を史上最年少の三十五歳で行政院政務委員（無任所閣僚、デジタル総括担当）に抜擢した。[*1]唐氏は十四歳で大手ＩＴ企業にスカウトされ、十六歳で起業し、米アップルの顧問も務めた「ＩＴの神童」として知られる。中台サービス貿易協定に反対する学生らが二〇一四年、立法院を占拠した「ひまわり学生運動」では、カメラやパソコンなどの機材を院内に持ち込み、学生の議論を二四時間実況中継するシステムを構築した。

自治体の取り組みも進んでいる。南部の高雄市は二〇一六年十一月、台湾の自治体として初めて同性カップルに対して「パートナー証明書」を発行し、台北市も十二月から「同性パートナーシップ証明カード」の発行を開始した。

同性婚合法化の機は熟したかに見えたが、立法院が十一月から民法改正案の審議を本格化させると、市民団体や宗教団体などから強い反発が起こった。同月に立法院周辺で行われた抗議デモには一万人以上が参加し、民法改正に関する公聴会では、会場外で賛成派と反対派がそれぞれ集会やデモを繰り広げた。その後も激論が戦わされている。

台湾民意基金会が十一月に行った調査では、同性婚合法化に賛成が四六・三パーセント、反対が四五・四パーセントと拮抗しており、民進党内でも意見は分かれている。

このため、法務部（法務省）は、同性のパートナーを持つ人びとの権利を保障する特別法の法案を立法院に提出する準備もしている。国民党の調査では、同性婚を合法化するのに、特別法に賛成が五三パーセント、民法改正に賛成が三二パーセントとの結果が出ており、特別法の方が反対派にも受け入れられやすいとみられる。

現在、米国やフランス、ブラジルなど世界で二〇を超える国・地域で同性婚を法律や判決で認めているが、アジアではまだ実現していない。マレーシアなどイスラム教を国教とする国では、同性愛には刑罰が(＊2)科せられる。そうしたアジアにおける先駆者として、台湾の同性婚合法化の審議の行方に注目が集まる。

台湾ではこのほか、日本産食品の輸入規制緩和や完全週休二日制の法制化などの問題でも賛成派と反対派が激しく対立している。

台湾民意基金会が二〇一七年一月に行った調査では、蔡氏を「支持する」と回答した人は三三・八パーセントにとどまり、「支持しない」の五四・四パーセントを大きく下回った。支持率は二〇一六年十二月の調査から四・二ポイント下がり、五月の就任時の六九・九パーセントから半減した。社会の分裂への憂慮が支持率低下を招いているとみられ、蔡氏の政権運営は厳しさを増している。

（＊1）唐氏は二〇二二年八月、デジタル発展部（デジタル発展省）の発足に伴い、初代部長（閣僚）に就任した。

（＊2）二〇一九年五月、立法院は同性間の結婚の権利を保障する特別法を可決。民法改正ではなく、特別法制定によって同性婚を合法化した。アジア初で、世界で二七番目。

「台湾」を強調した新パスポート

二〇二一年の新年を迎え、台湾の蔡英文政権は一月中旬から、「ＴＡＩＷＡＮ」の文字を大きくするなど「台湾」の識別性を高めた新しいデザインのパスポートの発給を開始した。同じ民進党の陳水扁政権が手がけた「脱中国化」政策の流れをくむもので、国際社会に台湾の自立性をアピールするねらいが込められている。

新しいパスポートは、表紙の「ＴＡＩＷＡＮ」の文字を従来より拡大し、活字も太くした一方で、旧パスポートでは「中華民国」の漢字のすぐ下に併記されていた英語表記「ＲＥＰＵＢＬＩＣ　ＯＦ　ＣＨＩＮＡ」が国章を取り囲む小さな文字として配置され、目立たないようにした。

漢字の「中華民国」はそのままで、旧パスポートと表紙に記載された要素は変わらないのだが、全体的に「台湾」が強調されたデザインになっている。とくに、漢字が読めない人にとっては、「台湾のパスポート」と認識されやすい。

この新パスポートへのデザイン変更について、台湾外交部は「パスポート所持者が中国人と誤解されることを避けるため」と説明している。二〇二〇年、中国湖北省武漢市で発生した新型コロナウイルスが世界に広まり、台湾人旅行客が欧米などでパスポートを提示すると、「ＣＨＩＮＡ」の記載を理由に不利な扱いを受けることがあったという。世論調査でも、七割以上がデザイン修正を支持し、七月に立法院で関連決議が可決された。

デザイン修正をめぐっては、当初、「ＣＨＩＮＡ」の表記は一切削除する案も浮上していたが、中台融和派の野党・国民党などは消極的な姿勢を示していた。結局、表記は残ったものの、格段に存在感が薄くなった。

中国は、パスポートは主権国家が発行するものであるとして、「台湾パスポート」そのものを認めておらず、台湾人が中国を訪れる際は、「台湾居民来往大陸通行証（台胞証）」という中国当局が発行する証明書を携帯するよう義務づけている。台湾の新パスポートについて、外務省の報道官は「デザインを変更しても、台湾が中国の不可分の一部であることに変わりはない」と突き放している。

「中華民国」の記載しかなかったパスポートに「ＴＡＩＷＡＮ」を追記する方針は、二〇〇二年に陳政権が打ち出した。このときも国民党など野党は強く反対し、当時多数を占めていた立法院で外交部の予算を削減する構えを見せるなどして抵抗した。

行政院は野党に配慮して、表記を「ＩＳＳＵＥＤ　ＩＮ　ＴＡＩＷＡＮ」（台湾で発行）にすると発表したため、今度は民進党の一部や独立派団体などが「台湾を矮小化するもの」と反発するなど、紆

「ＴＡＩＷＡＮ」の文字を大きくした新パスポート（後ろの写真）について発表する呉釗燮外交部長（中央）ら（2020年９月２日、台北市）［行政院ニュースサイトより］

余曲折の末にデザインを変更した経緯があった。

陳政権はこれ以外にも、中国の歴代王朝の宝物や文物を所蔵・展示する故宮博物院の分院を建設して台湾やアジアの美術品も展示したり、高校の歴史教科書で「台湾史」を「中国史」から分離したりするなど、台湾を中国から切り離す「脱中国化」政策を進めた。これらの政策は、必ずしもねらいどおりにいったものばかりではないが、住民を中国の歴史や伝統の呪縛から解き放つ役割を果たしてきた。

蔡総統は新型コロナウイルス対策で成果を挙げ、各国から称賛されるなど政権運営に自信を深めている。陳政権の「脱中国化」政策を引き継いで、二〇二一年はさらに世界に向けて台湾の主体性を訴えていくだろう。

3　独裁体制時代の克服

重い課題の「二・二八事件」真相解明

国民党政権が台湾住民を武力弾圧した一九四七年

の「二・二八事件」は、二〇一七年二月二十八日で発生から七〇年を迎えた。節目の年とあって、台湾各地で特別展などさまざまな催しが行われ、新たな資料の公開も相次いだ。だが、事件にはまだ謎の部分も多く、民進党の蔡英文総統は真相解明に全力を挙げ、調査報告書をまとめる方針を表明した。

事件は、闇タバコ売りの女性への取り締まりをめぐるトラブルをきっかけに、国民党政権に対する民衆の不満が爆発して暴動となったもので、国民党政権は軍を動員して住民を虐殺した。とくに、医者や弁護士、メディア関係者など知識人をねらい撃ちした。事件は、戦前から台湾に住んでいた本省人と、国民党政権とともに戦後、中国大陸から台湾にやって来た外省人のあいだに、決定的な亀裂を生んだ。

国民党一党独裁が続いた台湾では長らく、事件はタブーとされてきたが、民主化の進展とともに真相解明を求める声が高まってきた。一九九五年には、当時の李登輝総統（国民党）が当局の責任を認めて謝罪し、犠牲者の遺族や被害者への賠償金支払いを進めた。

民進党は国民党支配に対する抵抗運動を源流として結成されただけに、その象徴と言える事件の真相解明は、最大のテーマの一つだ。

蔡氏は二月二十八日、台北市内で開かれた追悼式典のあいさつで、「真相がわからなければ、過去は永遠に過去にならない。もっとも厳粛な態度で、事件の責任の所在を明らかにする」と宣言した。そして、「二・二八事件」とその後の「白色テロ」と呼ばれる住民弾圧についての調査報告書を作成することを約束し、関係機関に散在しているすべての自白、内偵、判決などの記録を調査するプロジェクトを三月一日からスタートさせることを明らかにした。関連法を制定し、独立機関を設ける意向も示した。

1947 年に発生した「二・二八事件」の犠牲者を追悼するため「二二八和平公園」に設置された記念碑（2017 年 8 月 9 日、台北市）

関係機関による調査も行われ、二月二十三日には、総統府直属の歴史研究機関である国史館が事件に関する新資料を集めて出版した。そのなかで、事件発生直後の三月二日、台湾統治の責任者だった陳《ちん》儀《ぎ》行政長官が国民党トップの蔣介石に派兵を求めた電文が初めて公開された。

この例が示すように、事件の実態解明や責任追及は、蔣介石の歴史的評価の見直しに結び付く。民進党の陳水扁政権時代の二〇〇六年には、国史館が「事件の最大の責任者は蔣介石」と結論づけた研究報告書を公表した。

陳政権はそれに基づき、蔣介石を顕彰する台北市の中正紀念堂（「中正」は蔣介石の本名）の名称を「台湾民主紀念館」に変更し、正門に掲げられた蔣介石の座右の銘「大中至正」の文字を「自由廣場」に取り替えた。名称の方は、国民党の馬英九政権になって、もとに戻された。

紀念堂を管轄する文化部（文化省）は今回、開館・閉館時に蔣介石を記念する歌を流していたのを中止し、文具や切手など蔣介石関連グッズの販売も取りやめ、二月二十八日は終日、閉館した。鄭麗《ていれい》君《くん》文化部長（文化相）は、紀念堂の名称変更や蔣介石の銅像の撤去などについても検討していく考えを明らかにしている。

市民のあいだでも「蔣介石離れ」は進んでおり、台南市政府は二月末までに、市内にあった蔣介石の銅像四体を撤去した。二年前、頼清徳市長が蔣介石像を撤去するよう命じ、多くは姿を消したが、公園などにまだ四体残っていたのだ。新北市の輔仁大学では追悼式典当日、学生四人が構内に設置されている蔣介石像を壊し、警察に拘束される騒動も起きた。

こうした蔡政権の姿勢に国民党は強く反発し、洪秀柱主席は「国民党たたきをすることで、経済や両岸（中台）関係などでの政権の無策ぶりを隠そうとしている」と非難した。

国民党と民進党の対立が続くなか、事件は高度の政治性を帯び、関連資料の公開に支障を来している。事件の被害認定や賠償を行う財団法人「二二八事件記念基金会」の薛化元《せつかげん》理事長は「まだ関係資料の機密解除を拒否している政府機関がある」と批判し、なお多くの未公開資料があると指摘している。

このような事情を反映して、真相解明の基本となる被害の全体像すらはっきりしていない。犠牲者の数も、行政院の報告書の推定数は一万八〇〇〇～二万八〇〇〇人と幅が大きい。これには、闇で処刑されたケースなどは含まれていないとされ、実際にはもっと多いとの見方が強い。

二〇一六年二月には、基金会によって、外国人として初めて、日本人の犠牲者の遺族に対する損害

「二二八国家記念館」に展示されている「二・二八事件」の資料（2017年8月9日、台北市）

賠償が認められた。その後も、韓国人一人の遺族への賠償が認められたほか、日本人二人の遺族も賠償を申請しており、認定被害者数はさらに増える動きを見せている。（＊1）

一方で、遺族ら関係者の高齢化が進んでいる。私は一九九九年に遺族の一人、阮美姝《げんみす》さんに取材し、初めて事件について詳しい話を聞いた。阮さんの父で、新聞社を経営していた朝日《ちょうじつ》さんは自宅から連行され、行方がわからなくなった。

ひそかに資料を集めていた阮さんは一九九七年になって、ようやく朝日さんを処刑した関係者の証言を得た。だが、「父は新聞を利用して群衆を煽動したというぬれぎぬを着せられたのだが、なぜそんな罪状をでっち上げられたのか、今もわかっていない。何としても真実を明らかにしてほしい」と訴えていた。阮さんのなかでは、まだ事件は終わっていなかったが、二〇一六年十一月、八十八歳で亡くなった。

一九八九年に台湾の侯孝賢《こうこうけん》監督が事件を題材にした映画『悲情城市』を発表し、ようやく事件が世界で知られるようになった。発生から七〇年が過ぎたといっても、事件について自由に論じたり、調査研究したりできるようになってから、まだ三〇年もたっていない。

陳総統は激しい「蔣介石バッシング」を繰り広げたが、社会の深い分断を招き、和解は遠のいた。すべてを白日の下にさらして、真の和解を達成し、台湾最大の「負の歴史」に決着をつけることができるか。蔡政権にとって、もっとも重い使命と言っていいだろう。


（＊1）二〇一六年二月に続いて二〇一七年一月にも、基金会によって日本人一人の遺族に対する賠償が認められた。別の日本人二人の遺族は二〇一七年七月に申請を却下されたが、新証拠が見つかったため、二〇二三年三月にあらためて申請した。

三代続く総統経験者の起訴

台湾の検察当局は二〇一七年三月十四日、馬英九前総統を機密漏洩《ろうえい》罪などで起訴した。在任中の二〇一三年に発覚した政界の司法介入疑惑にからむもので、当時から検察当局が捜査を続けていた。総統経験者の起訴は、陳水扁氏、李登輝氏に次いで三人目で、強大な権限を有する総統の職務を全うする難しさを物語っている。

司法介入疑惑は、与党・国民党の立法院長（国会議長）だった王金平氏が、会計法違反に問われていた野党・民進党の立法委員から依頼され、法務部長（法相）を通じて検察に上訴断念を働きかけたというものだ。

最高検はこの疑惑に関する調査を公表したが、黄世銘《こうせいめい》検察総長が公表前に馬氏に報告し、馬氏が江《こう》宜樺《ぎか》行政院長らに漏らしたとされ、これが機密漏洩罪などに当たると判断された。馬氏は罪状を否認し、「潔白を確信している」と法廷で徹底的に争う意向を示している。(＊1)

馬氏は最高検が公表した後、王氏の国民党籍剝奪《はくだつ》を宣告した。王氏は比例代表で当選しており、党籍剝奪が確定すれば、議員と立法院長の資格を失う。馬氏が司法介入疑惑を利用して、政敵である王氏の追い落としを図ったとの見方が有力だ。

しかし、王氏の仮処分申請を受けた台北地方法院（地裁）と台湾高等法院（高裁）は党籍維持を認める決定を出し、国民党は最高法院（最高裁）への再抗告を断念した。結局、王氏は二〇一六年の任期切れまで立法院長を務めた。

一方で、検察当局が捜査過程で王氏や立法院を違法に盗聴していた疑惑が浮上し、黄氏は情報漏洩罪などで起訴され、馬氏も事情聴取を受けた。馬政権への批判が高まり、馬氏の支持率は急落した。馬政権はその後も勢いを取り戻せず、二〇一六年総統選での国民党大敗につながった。

退任後のトップの逮捕や起訴と言えば、真っ先に韓国が思い浮かぶが、台湾もこれで、民主的な選挙で選ばれた総統はすべて起訴されたことになる。退任後に起訴されるのは、憲法の規定により、任期中は訴追の対象にならないためだ。

総統経験者で最初に起訴されたのは、民進党の陳氏だ。二〇〇八年十二月、収賄やマネーロンダリング（資金洗浄）など四件の罪で起訴され、一審で無期懲役の判決が下された。二審で懲役二〇年に減刑され、上告審で確定した。服役中の二〇一三年に自殺を図り、その後も鬱《うつ》病などの病状が悪化したため、二〇一五年一月に自宅療養を認められた。

二〇一一年七月には、国民党の総統を退任してから一一年もたっていた李氏が、在任中に機密費を不正流用したとして公金横領とマネーロンダリング罪で起訴された。しかし、一、二審で無罪判決が言い渡され、検察当局は上告を断念し、無罪が確定した。

三人の起訴はそれぞれ内容も結果も異なるが、最高指導者が退任後に起訴されること自体、社会を不安定化させる要因となる。馬氏の場合は、国民党の内紛が背景にあり、法廷でどろどろしたやり取りが繰り広げられる可能性もある。

もっとも、国民党一党支配時代の蔣介石、蔣経国両元総統は死去するまで現職だったので、退任後の訴追はありえなかった。その意味では、三代続く総統経験者の起訴は、民主化の「苦い味」の一つと言えるかもしれない。

（＊1）馬氏は二〇一七年八月の一審で無罪となったが、二〇一八年五月の二審では懲役四月の有罪となり、上告した。

戒厳令解除から三〇年

台湾で一九八七年に戒厳令が解除されてから、二〇一七年七月十五日で丸三〇年になる。国民党一党独裁体制の下、三八年間にわたって続いた戒厳令は、当局が集会・結社・デモなどを取り締まったり、郵便や電報の開封・閲覧や差し押さえ・没収などを行ったりする根拠となってきた。

それだけに、日本の「戦前」「戦後」という言い方に似て、戒厳令解除を意味する「解厳前」「解厳後」という表現が流行するなど、一つの時代に終わりを告げ、新たな時代に踏み出した日として記憶されてきた。

もっとも、四〇年近くも戒厳状態が継続すると、住民の意識も薄れるようだ。台湾紙の世論調査によると、当時、戒厳令の存在を知らない人が二九パーセントもいた。午前零時の解除直前の夜の歓楽街も、いつもと同じようににぎわっていた（上村幸治著『台湾　アジアの夢の物語』新潮社）。

だが、住民の人権と自由を制限してきた戒厳令のくびきから解き放たれた台湾は、民主化に邁進《まいしん》していく。中国にいる親族の訪問が解禁されると、多くの住民が中国を訪れるようになった。新聞の新規発行や増ページも認められた。

一九八八年一月に蔣経国総統の死去を受けて総統に就任した李登輝氏は、政治犯の釈放や政党結成の合法化などを矢継ぎ早に進め、民主化はテンポを速める。国民党政権が台湾に移転して以来、非改選だった立法院も全面改選した。台北市長や高雄市長も中央任命制から直接選挙制になり、一九九六年には初の総統直接選も行われた。以来、台湾では三回の政権交代が実現するなど、すっかり民主化が定着している。

一方、一九九七年七月一日に英国から中国に返還された香港は、「一国二制度」で高度な自治が保障されているにもかかわらず、この二〇年の間に中国の影響力が強まってきた。

中国は二〇一七年の香港行政長官選で有権者の一人一票による普通選挙を実施すると約束していたが、事実上、親中派しか立候補できない制度を押し付けようとした。反発した学生らは二〇一四年、二カ月以上にわたって中心部の道路を占拠する「雨傘運動」を繰り広げた。

それ以外にも、中国は愛国心を育成する「国民教育」を義務化しようとしたり、中国に批判的な書籍を扱う書店の関係者を連れ去ったりするなど、「一国二制度」や高度な自治は形骸化している。

中国の習近平国家主席は二〇一七年七月一日、香港を訪れて返還二〇周年記念式典に参加し、「一国二制度」の成功をアピールした。だが、台湾からすれば、制度への不信感は増す一方で、世論調査でも八割以上が反対している。

「雨傘運動」の後、香港では独立論も台頭してきた。二〇一七年六月には、台湾立法院で香港の民主化を支援する議員連盟が発足し、香港の議員も招かれた。双方は協力して中国の圧力と闘い、人権や自由、民主という普遍的な価値を追求していくことを確認した。これまで、あまり交流が活発ではなかった香港と台湾の民主化運動が急接近するようになった。

台湾の三〇年と香港の二〇年で、民主化というベクトルは逆に向いた。「一国二制度」はもともと、鄧小平氏が台湾統一のために考案したもので、香港をモデルケースとして、台湾に統一を呼びかけるはずだった。だが、香港での実績は、鄧氏の思惑とは正反対の結果を生み出している。

先住民に過去を謝罪

二〇一七年は国民党政権が住民を武力弾圧した一九四七年の「二・二八事件」から七〇年、一九八七年の戒厳令解除から三〇年という台湾の民主化にとって節目の年に当たり、蔡英文政権は「移行期の正義」と呼ばれる社会正義の推進を重点政策に掲げている。ただ、こうした問題は利害が複雑にからまるだけに、実現は容易ではない。

「移行期の正義」は、過去の政権による人権侵害について真相を究明し、加害者の責任を追及するとともに被害者の名誉回復や補償を行うものだ。英語の「transitional justice」が語源で、中国語では「轉型正義」と表記される。

台湾では、「二・二八事件」やその後の「白色テロ」と言われる政治的迫害のほか、長年にわたる先住民に対する差別的な扱いなどが主な対象となる。蔡総統は二〇一六年五月の就任演説で、総統府に「真相と和解委員会」を設けて三年以内に報告書をまとめると約束し、「移行期の正義」実現に意欲を示した。

実際に就任から一年数カ月で、さまざまなテーマに取り組んでいる。二〇一六年八月には、「四〇〇年にわたって外来政権が続いた台湾で、先住民は苦痛や不公平な待遇を受けてきた」と述べ、台湾史上初めて、政府を代表して先住民に公式に謝罪し、権利回復を図る委員会を設置した。

二〇一七年の「二・二八事件」追悼式典では、同事件と「白色テロ」についてすべての記録を調べるプロジェクトをスタートさせ、調査報告書をまとめると宣言した。

国民党一党独裁時代に築かれた制度にもメスを入れている。国民党の資産には党と政権が一体化した体制の下、不当に入手したものが含まれるとして、行政院に委員会を設けて調査・回収作業を続けている。国民党の支持基盤だった軍人や公務員、教員らの優遇年金や、国民党が影響力を持ってきた司法の改革なども進めている。

だが、こうした改革は既得権益層の反発を招く。年金改革では、退役軍人や退職公務員・教員らが抗議活動を繰り返しており、八月十九日に台北市で行われた学生スポーツの祭典・ユニバーシアード夏季大会の開幕式では反対グループが会場入り口を封鎖し、選手団が一時、入場できないトラブルが起きた。国民党は各種の改革に対して、「政府の失政から目をそらせようとするのが目的」と批判している。

二〇一七年八月、国際法学者で一九九六年総統選の民進党候補だった彭明敏《ほうめいびん》氏(＊1)に台湾でインタビューし、蔡政権が進める「移行期の正義」について聞く機会があった。彭氏は戒厳令下の一九六四年、台湾の民主化や独立を訴える「台湾人民自救運動宣言」を起草して反乱罪容疑で逮捕され、恩赦で釈放された後、自宅軟禁中に当局の監視をかいくぐって海外に脱出した。「白色テロ」被害者の象徴と言える人物である。

彭氏は「蔡政権はいろいろと手を付けてはいるが、もっと徹底してやるべきだ。民進党は立法院でも多数を占めているのに、その強みを生かし切れていない。改革を進めると、必ず抵抗に遭うが、それに構っていては何もできない。もっと住民になぜ改革が必要なのかを説明し、理解を求めていくことも必要だ」と注文をつけた。

さらに彭氏は、台湾が達成した民主化を評価しながらも「言論や出版の自由が確立したといっても、国民党によるメディア支配の影響などは、まだなくなっていない。台湾がなすべき課題は多い」と指摘した。彭氏が逮捕されてから半世紀以上たつが、一党独裁時代を完全に清算するには、長い時間がかかるのが現実だ。

（＊1）彭氏は二〇二二年四月、九十八歳で死去した。

「移行期の正義」条例案を可決

台湾立法院で二〇一七年暮れ、過去の権威主義的統治時代に行われた人権侵害の真相究明や名誉回復をめざす「移行期の正義促進条例案」が可決された。「移行期の正義」は蔡英文総統が重点政策として取り組んでいるもので、住民投票法の実施条件を緩和する改正法案も可決されるなど、ここへきて蔡政権は独自色を強めている。

「移行期の正義促進条例案」によると、公文書の公開、権威主義時代の象徴の排除、過去の司法の是正、不当に所得した政党資産の処理などについて、行政院の下に独立した専門の委員会を設置して調査し、二年以内に報告書を提出する。委員会は九人で構成され、調査を拒否したり、公文書を破棄・隠匿したりした者は処罰の対象となる。

適用される期間は、終戦で日本の統治が終了した一九四五年八月十五日から離島の金門島と馬祖島で戒厳令が解除される前日の一九九二年十一月六日までと定められた。これに対し、野党・国民党は「明らかにわが党を標的にしている」と反発し、日本統治時代も含むよう主張していた。先住民の立法委員からも、日本統治時代に迫害を受けた先住民が排除されているとの批判が上がった。

波紋を呼んでいるのが、第五条の「公共の建築物や場所にある権威主義的な統治者を記念、追想する象徴は除去、改称、あるいはその他の方式で処理されなければならない」との条文だ。

「権威主義的な統治者」が蔣介石を指すことは明らかで、蔣介石にちなんだ「中正」や「介寿」などの名前がつけられた学校や道路は名称変更を迫られるのではないかとの懸念が広まっている。

教育部（教育省）によると、「中正」と名づけられた公立校は幼稚園、小中高、大学を合わせて二九校あり、「介寿」も五校ある。「中正路」と呼ばれる道路も一九〇本前後あり、すべてを改名するとなると、混乱は避けられない。

行政院の徐国勇《じょこくゆう》スポークスマンは「疑念は対立を生むだけだ」として、名称変更の必要性を否定したが、潘文忠《はんぶんちゅう》教育部長（教育相）は「委員会の報告を待って、法に従って処理する」と述べた。

民進党は陳水扁政権時代の二〇〇三年にも「移行期の正義促進条例」の前身となる法案を提出したが、当時は少数与党だったため、可決に持ち込むことはできなかった。

一方、住民投票法の改正案では、直近の総統選の選挙人数の一万分の一の賛同者が確保できれば発議でき、一・五パーセント分の署名を集めれば立案できる。投票で賛成票が反対票を上回り、賛成票が全有権者数の四分の一以上なら成立する。

現行法では発議は選挙人数の一〇〇〇分の五の賛同、署名は五パーセント、賛成票は有効投票の過半数かつ全有権者数の二分の一以上と規定されており、きわめてハードルが高かった。投票権も従来の二十歳以上から十八歳以上に引き下げられた。

住民投票法が成立したのは陳政権時代の二〇〇三年十二月だが、住民投票に慎重な姿勢の国民党などの野党案が採用されたため、住民投票の使い勝手が悪い状況が続いていた。

民進党は党綱領で「台湾共和国を建設するという主張は、住民投票によって選択、決定されなければならない」とうたっており、中国は将来、台湾独立の是非を問う住民投票につながると警戒してきた。

陳政権と違って、蔡政権は立法院でも多数を占めているだけに、民進党支持者からはもっと独自色を発揮するよう求める声が強まっていた。二〇一八年秋に政権の評価が問われる統一地方選を控えており、五月で任期四年の折り返し点を迎える蔡総統が、さらに独自路線を強化していくのか、注目すべき一年となる。

「暗黒の歴史」を伝える人権博物館

蔡英文政権が重点的に取り組んでいる「移行期の正義」政策の現状を調査するため、二〇一八年八月中旬、台湾を訪れた。「移行期の正義」は、国民党の一党独裁時代に行われた人権侵害の真相究明や被害者の名誉回復を進めるもので、民進党色を前面に打ち出した政策だ。現地取材をもとに報告する。

人権博物館「白色テロ緑島記念園区」としてオープンした監獄跡（2018 年 8 月 18 日、緑島）

東部の台東市から三三キロ沖合にある離島・緑島。戦後すぐから一九九〇年代初めまで、島北東部に設置された監獄や強制労働キャンプには政治犯が収容され、「監獄島」と恐れられた。共産党スパイ摘発の名目で常態化していた反体制派の無差別逮捕や拷問、処刑は「白色テロ」と呼ばれる。もっとも多いときは約二〇〇〇人が収容されていたが、多くが冤罪《えんざい》だったと言われる。

二〇一八年五月、監獄跡や隣接地に建てられた人権記念碑なども含めた一帯がテーマパーク化された人権博物館「白色テロ緑島記念園区」としてオープンした。監獄は当時のまま残され、四人用の監房に十数人も詰め込まれていた様子がパネル展示で再現されているほか、反抗的な態度の服役囚を罰として閉じ込める窓のない暗黒房も見学できる。強制労働キャンプ跡では、蠟《ろう》人形やジオラマで収容生活を紹介している。入場は無料だ。

緑島はマリンスポーツ目当ての観光客であふれ、人権博物館にはスキューバダイビングや海釣りのついでに立ち寄ったという風情の若者や家族連れの姿も多く見られた。
オープン記念式典には蔡総統も出席して「人権博物館は人権侵害の舞台となった『不義遺跡』を改修したもので、われわれが歴史を教訓とする姿勢を示している」とあいさつし、「暗黒の歴史」も歴史の一部として後世に伝えていく決意を披露した。

北部の新北市にある軍事監獄・法廷跡も五月に人権博物館「白色テロ景美記念園区」として一般公開されたが、こちらは一九七九年に南部の高雄市で人権デモ隊と警察が衝突して参加者が逮捕され、その後の民主化運動の起点となった「美麗島事件」の裁判が開かれたことで知られる。ここは二〇一七年に視察したが、監房のほか共同作業場や面会室、食堂などがそのまま保存されていた。

「不義遺跡」は両人権博物館を含め計四五カ所が指定されており、蔡政権はこれらを台湾の民主主義や人権思想を世界に向けて発信していく拠点として活用する考えだ。

こうした政策は、二〇一七年暮れに成立した「移行期の正義促進条例」に基づいている。五月には、公文書や不当に取得した政党資産などについて調査する独立機関「移行期の正義促進委員会」も設けられた。委員会の調査を拒否したり、公文書を破棄・隠匿したりした場合は禁固や罰金刑が科され、委員会は二年以内に報告書を作成して提出する。

国民党は「政治利用だ」と強く反発しているが、委員会トップの黄煌雄《こうこうゆう》主任委員は私のインタビューに「移行期の正義は過去の政府による不法行為を反省して受難者の名誉回復を果たし、社会の和解を促進するものだ。歴史の真相を解明するのがねらいであり、政治的対立者を迫害するという歴史の過ちは繰り返さない」と強調した。

だが、国民党の不信感は根強く、八月十七日には、委員会が国民党の関連施設に保管されている資料を調査するため職員を派遣したものの、「事前の通知がなかった」として断られる一幕もあった。

黄氏は「まだ機密解除されていない国民党政権時代の未公開資料がある。具体的な証拠を探し出して、歴史に対する責任を果たしていきたい」と意気込みを語ったが、その目的を達成するには、いかにして国民党の協力を得るかが鍵を握ることになりそうだ。

第5章 世界のものづくりを支える経済

1 最強の半導体王国

「半導体の父」の警告

富士通が二〇一四年内に国内の半導体二工場を海外企業に売却し、生産から撤退することになった。パナソニックも春で生産を終了しており、両社は二〇一四年中に合弁で設計・開発だけを行う新会社をつくる。日本の半導体メーカーは、一九八〇年代後半に世界シェア五割を占める黄金時代を築いたが、これで多品種の半導体の設計・開発から生産まで一貫して手がける総合メーカーは東芝だけになる（＊1）。

日本勢の凋落《ちょうらく》は、設計・開発から生産まですべて自社で受け持つ垂直統合型のビジネスモデルにこだわり、設計・開発と生産を分離する国際的な水平分業の流れに乗り遅れたことが最大の原因だ。その水平分業型モデルを確立させたのが、半導体受託生産会社（ファウンドリー）世界最大手の台湾積体電路製造（ＴＳＭＣ）である。

ＴＳＭＣは一九八七年、台湾経済部（経済省）傘下の研究機関である工業技術研究院が民間企業として立ち上げた。米半導体大手テキサス・インスツルメンツで上級副社長まで務め、工業技術研究院院長に迎えられた張忠謀《ちょうちゅうぼう》（モリス・チャン）氏が創業に携わり、会長に就任した。張氏は豊富な経験から、ＴＳＭＣを世界初のファウンドリー専門メーカーにすれば、産業構造を変革できると確信していた。

その後は、張氏が思い描いたとおりの展開になる。自社ブランドを持たず受託生産に徹するファウンドリー専門メーカーの出現で、設計・開発に特化したファブレスと呼ばれる企業が次々と参入して革新的な製品が生まれ、コストも低下した。水平分業型モデルは世界の主流となり、その基礎を築いた張氏は台湾で「半導体の父」として尊敬を集めている。

こうした状況に日本メーカー各社も危機感を強め、二〇〇三年に日立製作所とＮＥＣ、三菱電機がＤＲＡＭ（記憶保持動作が必要な随時書き込み読み出しメモリー）事業を統合してエルピーダメモリを、二〇一〇年に同じ三社がシステムＬＳＩ（高密度集積回路）事業を統合してルネサスエレクトロニクスを設立した。

日本の技術を結集した二つの「日の丸半導体」企業に巻き返しの期待がかかったが、結局、成功体験から抜け出せず、思い切った改革はできなかった。エルピーダは二〇一二年に経営破綻して米マイクロン・テクノロジーに買収され、ルネサスも政府系ファンドやトヨタ自動車など大手メーカーから支援を受けて経営再建中だ。

なぜ日本勢は、これほど追い詰められるまでに、水平分業型モデルを取り入れることができなかったのだろうか。半導体事業は総合電機メーカーの一部門だったため、素早い経営判断ができなかったという反省がよく聞かれるが、張氏は一九九九年の講演で「日本の半導体メーカーは他の事業部門を持っているため、半導体で損失を出しても、別の事業で補塡《ほてん》することができる。半導体専業の米国のメーカーでは許されないことだ」と指摘している。（張忠謀著『張忠謀自伝（上冊）』天下遠見出版社）。

二〇〇四年には、半導体工場の建設費が高騰する現状を踏まえ、「総合メーカーは韓国サムスン電子が最後になる可能性が高い」（『日本経済新聞』二〇〇四年八月二十九日朝刊）と予測して、日本企業にファブレスへの転換を促している。

ＴＳＭＣの二〇一三年の売上高は約二兆円に上り、ファウンドリー市場で五〇パーセント近いシェアを占め、スマートフォン向け半導体市場では独り勝ちの状態だ。日本企業が張氏の警告に耳を傾けていれば、生き残り策を見つけることができていたのではないか。[＊2]

（＊1）東芝は二〇一七年四月、半導体のメモリー事業をキオクシアとして分離独立させた。

（＊2）トヨタ自動車やソニーグループ、ＮＴＴなど日本企業八社は二〇二二年八月、七二億円を出資して半導体メーカー、ラピダスを設立した。経済産業省も三三〇〇億円助成し、最先端半導体の量産をめざす。

サプライチェーンに不可欠な存在

自動車向けを中心に世界的に半導体の需給が逼迫《ひっぱく》し、日米独政府がそれぞれ台湾政府に増産を要請する異例の事態になっている。台湾にはＴＳＭＣを筆頭に有力なファウンドリーがあるためで、ＩＴ（情報技術）産業のサプライチェーン（供給網）の要として、台湾の存在感が高まっている。

車載用半導体の不足は、各国の自動車メーカーが見通しを誤ったことがきっかけとなって起こった。各社は二〇二〇年三月から四月にかけて、新型コロナウイルス感染拡大の影響で需要が低迷するとみて、相次いで減産に踏み切った。五月以降、中国などで自動車販売が急速に回復し、各メーカーは増産にかじを切ろうとしたが、半導体は発注から出荷まで数カ月を要するため、十月以降、供給が追いつかなくなった。

さらに、コロナ禍による巣ごもりや在宅勤務の広がりもあって、パソコンやスマートフォン、ゲーム機などの売り上げが伸びており、半導体メーカーはそれら向けの受注で手いっぱいの状態だ。加えて、米国が中国最大のファウンドリー、中芯国際集成電路製造（ＳＭＩＣ）に制裁を科したため、台湾勢に振り替え注文が殺到した。

世界の自動車メーカーは半導体が調達できず生産に支障を来し、自国政府に救済を訴えた。日本では経済産業省が一月末、台湾との交流窓口機関である日本台湾交流協会を通じて、台湾政府に半導体の増産を要望した。米国政府も二月初めに行った台湾政府との「経済対話」で、半導体の供給拡大を求めた。

この背景には、半導体業界では二〇〇〇年代以降、自らは工場を持たず設計・開発に特化するファブレスと、ファブレスから依頼を受けて生産に専念するファウンドリーによる水平分業体制が定着した実態がある。米国にはクアルコムやエヌビディアなど著名な半導体メーカーが多いが、大半がファブレスだ。

一方、ファウンドリー業界ではＴＳＭＣがシェア五四パーセントと突出しており、二位のサムスン電子（一七パーセント）を大きく引き離している。台湾の聯華電子（ＵＭＣ）も七パーセントを占め四位で、この分野では台湾勢が圧倒的な強さを誇っている（シェアはいずれも二〇二〇年、台湾トレンドフォース調べ）。半導体を確保するため、各国の企業が台湾頼みにならざるを得ないのは、こうした事

TSMCの売上高と最終損益（連結）

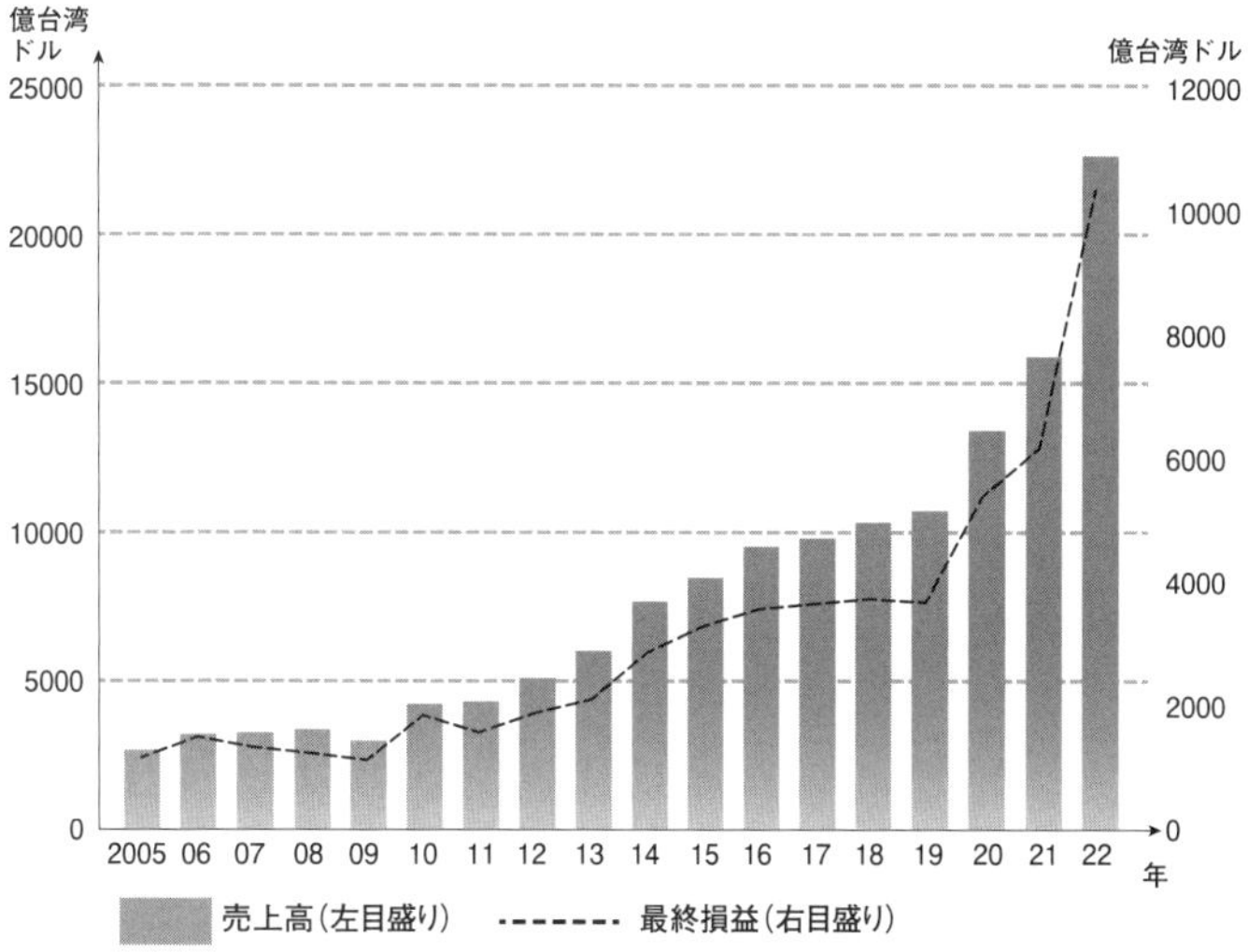

出典：TSMC のホームページより著者作成

情による。

技術力でも台湾勢は先頭を走る。半導体は回路線幅が小さいほど性能が向上するが、ＴＳＭＣは回路線幅が五ナノ（ナノは一〇億分の一）メートルの最先端半導体の量産を二〇二〇年春に世界で初めて実現し、米アップルの最新版スマートフォンｉＰｈｏｎｅ12などに搭載されている。

こうした現状を反映して、ＴＳＭＣの二〇二〇年十二月期の売上高は前年比二五パーセント増の一兆三三九三億台湾ドル（約五兆円）、最終利益は同五〇パーセント増の五一八二億台湾ドルといずれも過去最高を記録した。企業価値も高まり、二〇二一年一月末の時価総額は一年前の約二倍となる五四七二億ドル（約五八兆四〇〇〇億円）に膨れ上がり、世界のトップ一〇入りした。

ＴＳＭＣは二〇二一年、最大二八〇億ドルの設備投資を計画しているが、その八割はスマートフォン向けなどの最先端製品用だ。回路線幅二八～四〇ナノメートルで古いラインを使う車載用半導体の生産能力増強の優先順位は高くないのが実情で、日米独政府などの働きかけにもかかわらず、車載用半導体不足は二〇二一年後半まで続くとの見方が強まっている。

ＴＳＭＣが熊本県に工場建設

ファウンドリー世界最大手のＴＳＭＣが二〇二一年十月十四日、二〇二二年に日本初の工場建設に着工し、二〇二四年末に量産を始めると発表した。同社の海外工場は中国、米国（二〇二四年に量産開始予定）に次ぐ三カ国目となる。数千億円規模に上る日本政府の補助金が決め手となったもので、経済安全保障上、半導体の安定供給確保の重要性が増してきたことを示している。

ＴＳＭＣは計画の詳細を明らかにしていないが、ソニーグループやデンソーと共同で、熊本県菊陽町にあるソニーグループの画像センサー工場の隣接地に新工場を建設する方向で調整している。主に演算処理を行う回路線幅一〇～二〇ナノメートル台のロジック半導体を製造する見通しで、三ナノや五ナノといった最先端品ではないものの、デジタル機器や自動車などの生産に欠かせない製品だ。

経済産業省は二〇一九年から、ＴＳＭＣと本格的な交渉を進めてきた。二〇二一年六月には「半導体デジタル戦略」を掲げ、日本の半導体産業強化策の一環として、ＴＳＭＣの工場誘致を位置づけた。ＴＳＭＣは日本のコスト高を懸念して二の足を踏んできたが、日本政府が提示した新工場の総投資額八〇〇〇億～一兆円の半分程度を補助するという条件を受け入れ、工場建設を決断した（＊1）。

日本政府が海外企業にこれほど巨額の支援をするのはきわめて異例だ。この「大盤振る舞い」の背景には、半導体が経済安全保障上、不可欠の物資であるとの認識が高まってきたことがある。半導体はパソコンやスマートフォンなどＩＴ機器をはじめ、あらゆる工業製品に使われており、「産業のコメ」「産業の脳」と呼ばれる。

二〇二〇年来、コロナ禍による巣ごもりや在宅勤務の広がりで、パソコンやスマートフォン、ゲーム機向けの半導体の需要が高まり、メーカーはフル稼働でも注文をさばき切れないほどの忙しさになった。台湾のファウンドリーが一年間生産を中止すると、世界の電子産業は四九〇〇億ドル（約五六兆円）の減収になるとの試算もある。

こうした状況に加え、有力な半導体メーカーが台湾と韓国に集中していることが地政学上のリスクとする見方も強く、各国からＴＳＭＣに熱烈なラブコールが相次いだ。ＴＳＭＣは米アリゾナ州に最先端の半導体工場を建設することを決め、ドイツ進出も検討している。

ただ、ＴＳＭＣは現在（二〇二一年十一月時点）、半導体生産の九二パーセントを台湾で行っており、生産拠点の海外展開には慎重な姿勢を崩していない。創業者の張忠謀（モリス・チャン）氏は、半導体生産はあくまで台湾が中心との考えを強調し、その理由について「米国は台湾に比べ製造業に望んで入る人が少なく、優秀な人材を確保するのが難しい。コストも高い。日本での生産も非常にコストが高い」（『日本経済新聞』二〇二一年四月二十二日朝刊）と述べている。コスト高や人材難をカバーできるだけの補助金を受けることができるかどうかが、海外進出の主要な判断基準となっているのが実情だ。

もっとも、ＴＳＭＣ側にも海外展開に前向きにならざるを得ない事情がある。台湾は二〇二一年初め、水不足と電力不足に見舞われ、ＴＳＭＣは台湾に生産拠点が偏る危うさを痛感させられた。今後は、進出先の半導体生産の技術力向上に貢献しながら、独自の優位性を保ち続ける戦略が求められる。

（＊1）ＴＳＭＣは二〇二二年四月、菊陽町で熊本工場の建設に着手した。二〇二三年九月に完成する予定。日本政府は二〇二二年六月、同工場の総投資額一兆一〇〇〇億円のうち四七六〇億円を補助することを決めた。ＴＳＭＣは同工場の近くに第二工場を建設する計画も明らかにしている。

半導体が輸出増を牽引

台湾財政部（財政省）が二〇二二年一月に発表した二〇二一年の貿易統計によると、輸出額、輸入額ともに過去最高を記録した。輸出増は半導体が牽引《けんいん》したもので、台湾の強みが存分に発揮された。一方で、中国向けの輸出比率は高止まりしており、蔡英文政権がめざす対中依存度の引き下げは思いどおりに進んでいない現状も浮き彫りになった。

二〇二一年の輸出額は四四六四億ドル（約五一兆三〇〇〇億円）で前年比二九・四パーセント増、輸入額は三八一二億ドルで同三三・二パーセント増だった。貿易収支は六五二億ドルの黒字で、同一〇・七パーセント増となった。

輸出品目別では、半導体が一五五五億ドルで全体の三四・八パーセントを占めた。世界的に半導体が不足するなか、ファウンドリー世界最大手のＴＳＭＣをはじめとする台湾メーカーには各国から注文が殺到しており、半導体産業が台湾経済のエンジン役を果たす構図がいっそう鮮明になっている。

国・地域別では、香港を含む中国向けが四二・三パーセントと断トツで、米国（一四・七パーセント）、日本（六・五パーセント）などを大きく引き離している。輸入も香港を含む中国が二二・一パーセントとトップで、輸出入を合わせた貿易総額における対中比率は三三・〇パーセントに上った。

二〇二〇年の対中比率は輸出四三・九パーセント、輸入二二・七パーセント、貿易総額三四・三パ

台湾の貿易高の推移

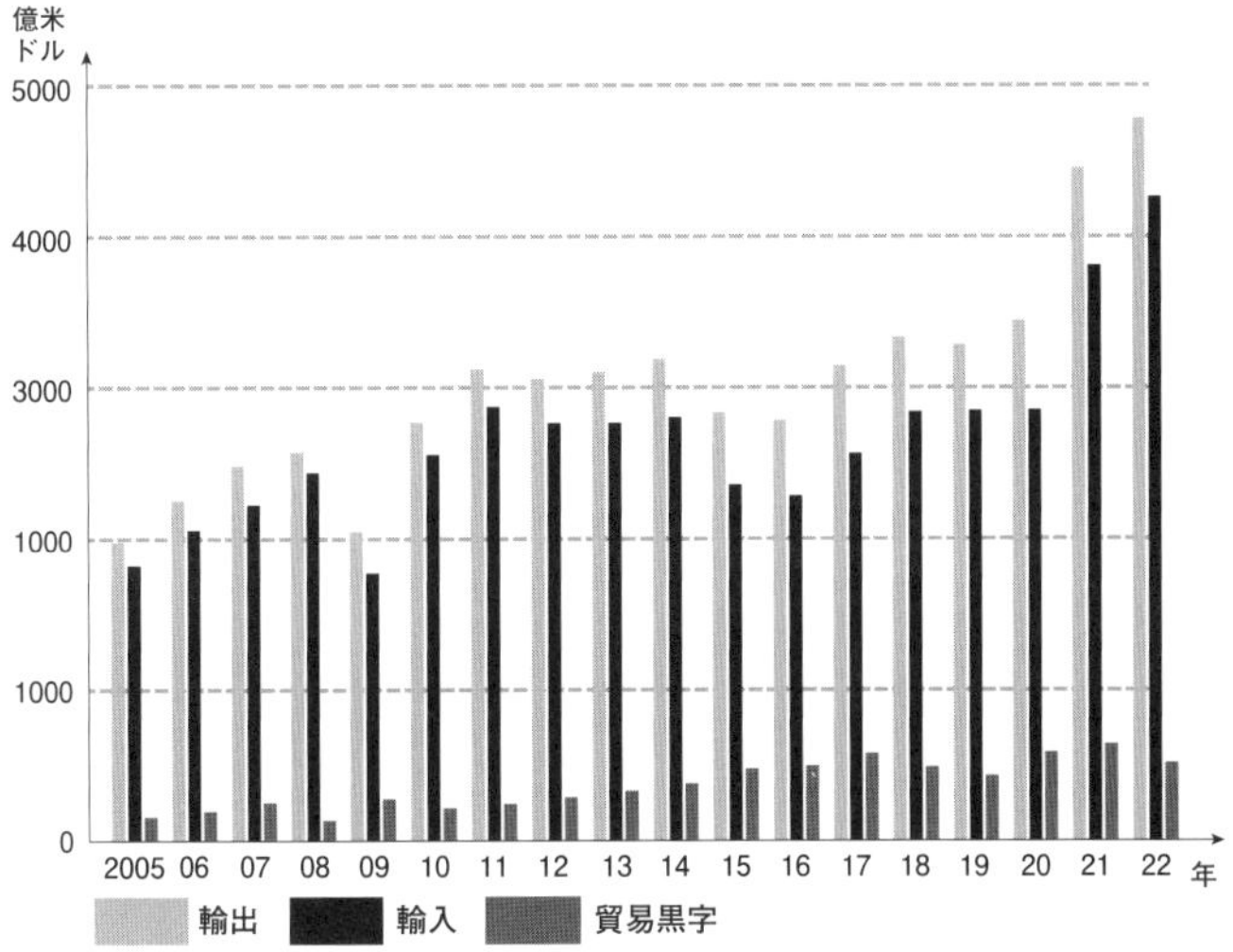

出典：台湾行政院主計総処統計より著者作成

ーセントだったので、二〇二一年はやや下がったとはいえ、ほぼ横ばい状態で推移する結果となった。

　蔡政権は二〇一六年の発足後、過度の対中依存からの脱却を最重要方針に掲げ、東南アジア諸国連合（ＡＳＥＡＮ）やオーストラリア、インドなどとの経済交流を強化する「新南向政策」を推進してきた。ＡＳＥＡＮへの二〇二一年の輸出比率は一五・七パーセントで、政権スタート時の二〇一六年の一八・四パーセントから低下しており、苦戦している状況が見て取れる。

　そのような課題は抱えながらも、輸出の好調さなどに後押しされ、台湾の二〇二一年の経済成長率は六・五三パーセントに達した。これは、リーマン・ショックによる落ち込みの反動で急伸した二〇一〇年の一〇・二五パーセント以来の高い伸びとなる。行政院（内閣）は、二〇二二年の成長率は四・二パーセ

ントと予想している。（＊1）

二〇〇〇年から二〇二〇年までの二〇年間で、台湾の名目域内総生産（ＧＤＰ）は倍増したのに比べ、日本はほとんど増えていない。この勢いの差から、豊かさの指標となる一人当たりＧＤＰで、近く台湾は日本を逆転するとの見方も浮上している。

二〇二一年十二月、日本経済新聞系のシンクタンク、日本経済研究センター（日経センター）は、一人当たりＧＤＰで韓国が二〇二七年、台湾が二〇二八年に日本を上回るとの見通しを発表した。原因として、日本の高齢者人口の増加に加え、デジタル化の遅れが引き起こす労働生産性の上昇率の低さなどを挙げている。

日本は長年、「アジアでもっとも豊かな国」として地域の先頭を走り、バブル経済が始まった一九八六年には日本の一人当たりＧＤＰは韓国の六・二倍、台湾の四・四倍の規模を誇っていた。だが、バブル崩壊後の停滞が長引き、二〇〇七年にシンガポールに、二〇一四年には香港に抜かれた。

国際通貨基金（ＩＭＦ）によると、二〇二一年の一人当たりＧＤＰは日本三万九八八三ドルに対し、シンガポール七万七七一〇ドル、香港四万九八四五ドル、韓国三万四九九八ドル、台湾三万三一八六ドル。日経センターの予測どおりになれば、日本は六年後には豊かさの面で、「アジア四小龍」と呼ばれた四カ国・地域すべての後塵《こうじん》を拝することになる。

かつて半導体業界で世界を席巻しながら、今は三顧の礼でＴＳＭＣの工場を迎えざるを得ない立場になった日本の衰退ぶりが、ここにも映し出されている。

（＊1）二〇二二年の成長率は二・四五パーセントだった。

台湾の名目GDPと経済成長率の推移

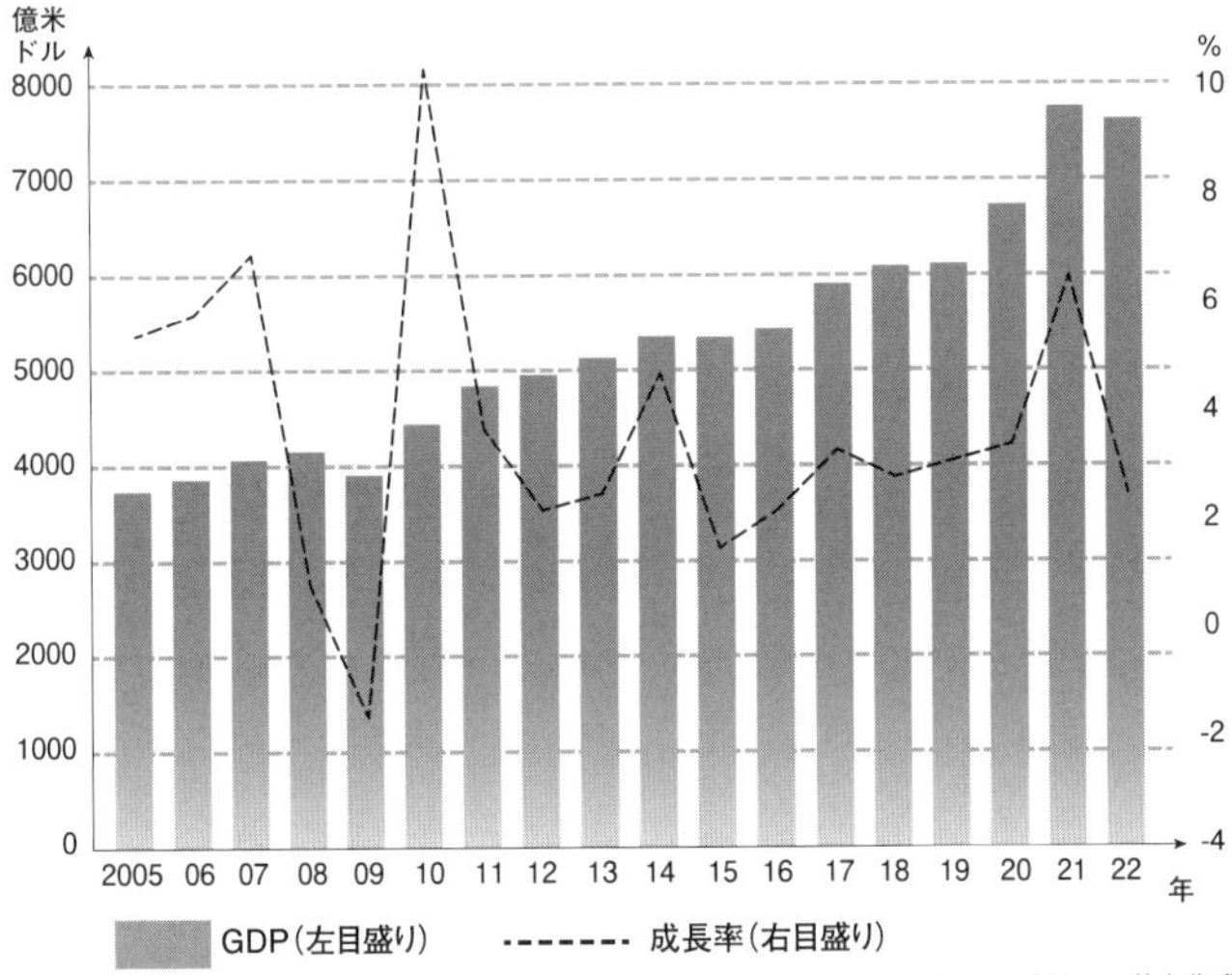

出典：台湾行政院主計総処統計より著者作成

台湾の1人あたりGDPの推移

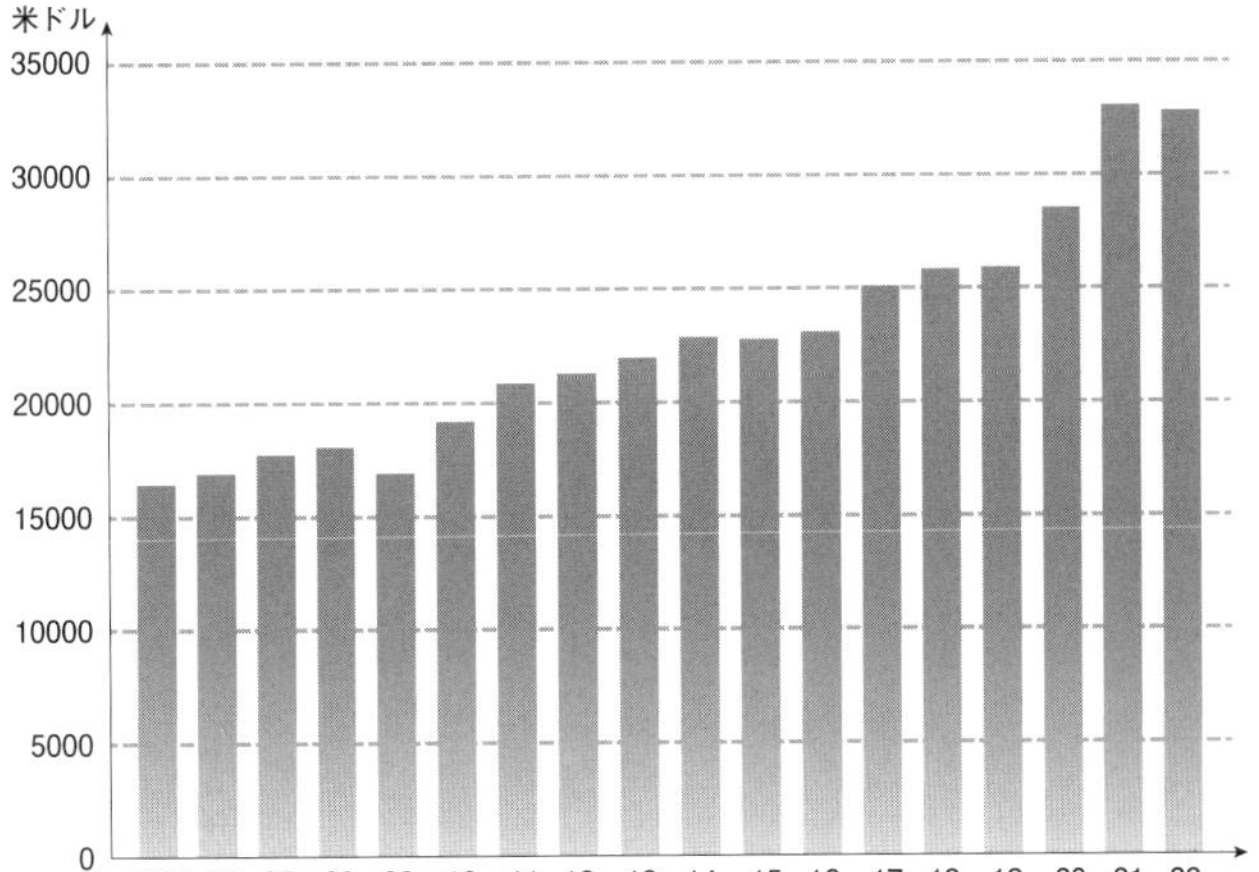

出典：台湾行政院主計総処統計より著者作成

2　躍進するＩＴ企業

エイサーの栄光と挫折

台湾のパソコン最大手、宏碁（エイサー）の創業者で一度は引退しながら、業績悪化に伴って二〇一三年、会長に復帰した施《し》振《しん》栄《えい》氏が二〇一四年六月で退任することになった。業績回復に一定のめどが立ったと判断したようだが、前途は楽観できない。エイサーの栄光と挫折は、台湾のＩＴ企業の盛衰を象徴している。

エイサーは一九七六年、施氏がマンションの一室で、妻や以前働いていた電機会社の同僚ら計七人で設立した。当初はＣＰＵ（中央演算処理装置）の輸入販売や電子製品の受託設計などを行っていたが、世界でパソコンが普及する時流をうまくつかみ、パソコンメーカーとして台頭していく。

際立っていたのは、台湾では自社ブランドを持たずＥＭＳ（電子機器の受託製造サービス）に徹する企業が多いなかで、早くから「エイサー」ブランドで勝負する戦略を進めてきた点だ。まず新興国でシェアを高め、基盤を固めてから先進国に挑む手法で世界展開してきた。

こうした施氏の経営手法が実を結び、エイサーは世界的なパソコンメーカーに成長していく。花開いたのは、ネットブック「アスパイア・ワン」の成功だ。ネットブックとは、機能を限定したり、画面を小型化したりして価格を五万円程度に抑えたノート型パソコンのことで、二〇〇九年には日本でもブームを巻き起こした。世界シェアも急速に伸ばし、同年には一二・六パーセントで米デルと同率二位に並ぶなど、世界一の座も視野に入ってきた。

台湾の主なEMS

企業名	設立年	連結売上高（台湾ドル）
鴻海精密工業（ホンハイ）	1974	6兆6269億
英業達（インベンテック）	1975	5417億
仁宝電脳工業（コンパル）	1984	1兆0732億
広達電脳（クアンタ）	1988	1兆2815億
緯創資通（ウィストロン）	2001	9844億
和碩聯合科技（ペガトロン）	2008	1兆3184億

出典：各社のホームページ
注：連結売上高はいずれも2022年12月期

パソコン出荷台数世界シェア（2021年）

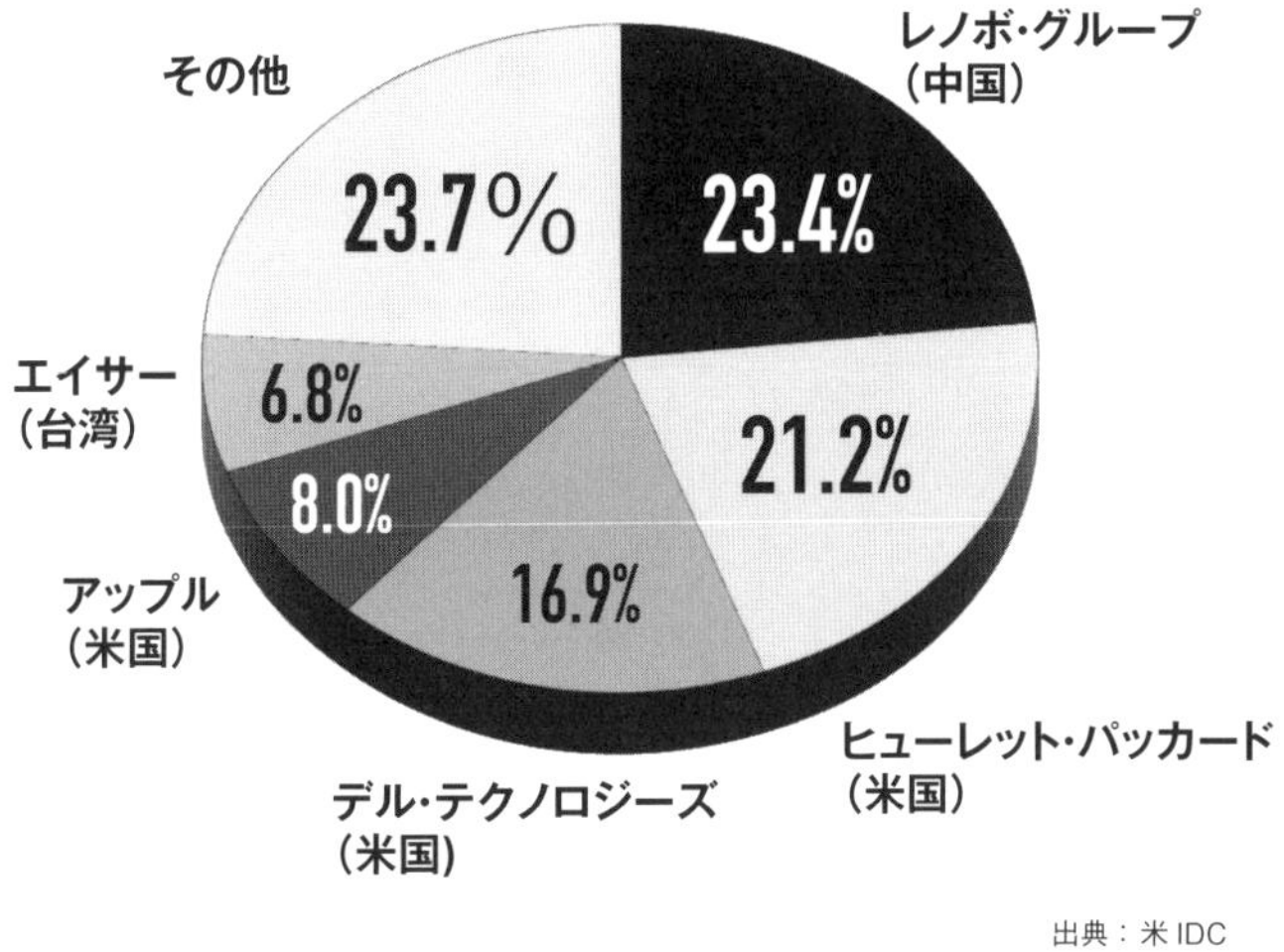

出典：米 IDC

経営者としての施氏のユニークさは、エイサーをアジアで多いファミリー企業にしないと決めたことだろう。早くから自分の息子を入社させないと宣言し、六十歳になったら経営の一線から身を引くとも公言していた。言葉どおり、還暦を迎えた二〇〇四年に引退した。

私は新聞社の台北特派員時代、施氏にインタビューしたことがある。子どもを後継者にしない理由を尋ねると、「もし息子が入社して後を継げば、優秀で会社への貢献が大きい社員にとって不公平になる。息子にとっても大きなプレッシャーになる」と語ったのが印象に残っている。アジアでは「会社は一族のもの」と考える創業者が多いなかで、施氏は異色の存在だった。

そんな施氏の理念を受け継いだエイサーだったが、スマートフォンやタブレット端末などへの対策が遅れ、二〇一一年から三年連続で赤字が続いている。二〇一三年十一月、施氏の後継者だった王《おう》振堂《しんどう》会長が引責辞任し、施氏に再建の行方が託された。二〇一四年一～三月期、四半期としては四期ぶりに黒字化したことで施氏は会長を降りるが、今後も役員にはとどまり、経営陣を支援していくという。

ほんの数年前、「勝ち組」として脚光を浴びたエイサーは、施氏自身「競争力を取り戻すには三年かかる」（『日本経済新聞』二〇一四年五月九日朝刊）と認めるほど苦境に陥っている。他の台湾のＩＴ企業も中国などの新興勢力に追い上げられ、苦戦を強いられているところが多い。だが、環境の変化に機敏に対応するのが台湾企業の持ち味で、過去にも何度かピンチを乗り越えてきた。今回も知恵と工夫を重ね、いずれ反転攻勢に出るだろう。

脱アップル依存を急ぐ鴻海

エイサーの売上高と最終損益（連結）

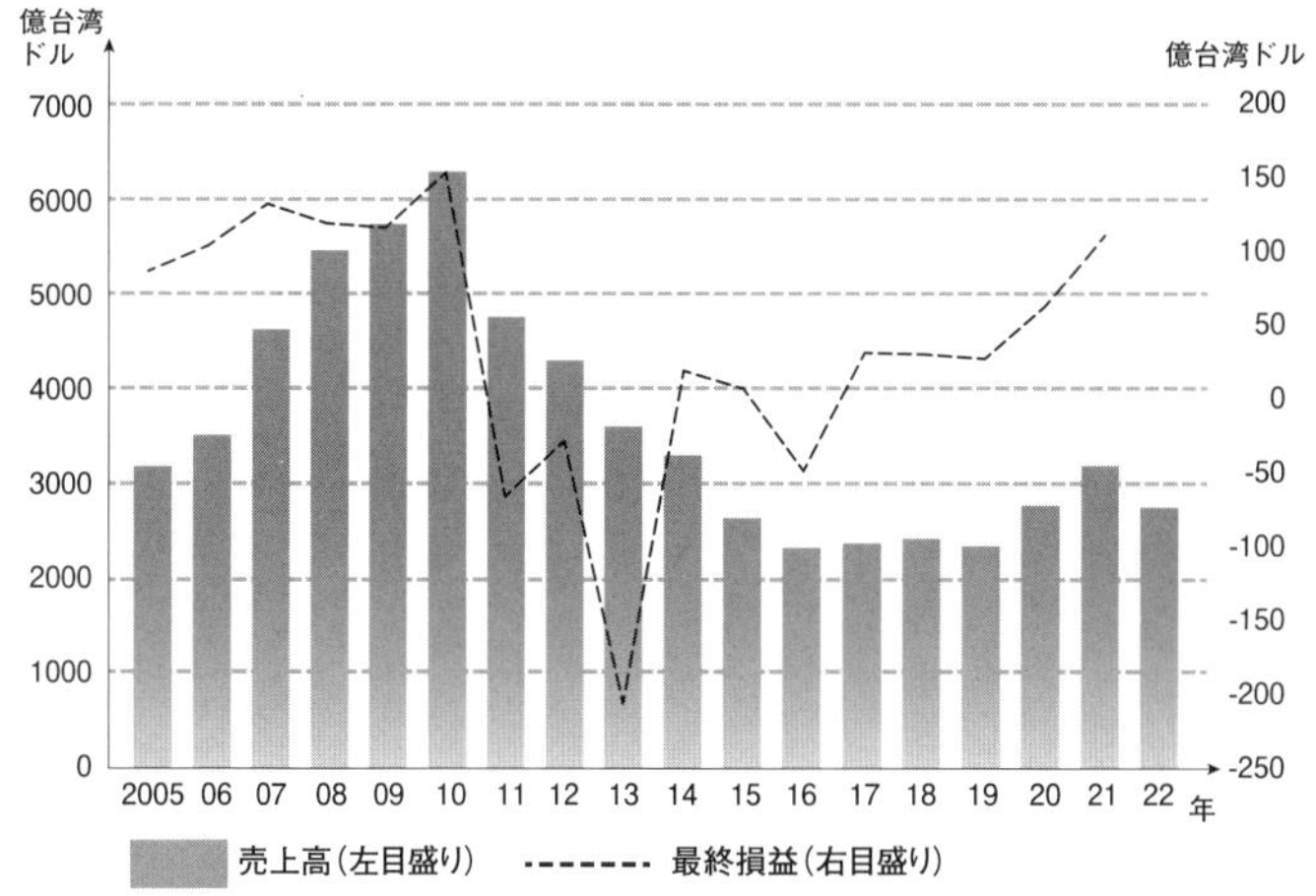

出典：エイサーのホームページより著者作成

鴻海精密工業の売上高と最終損益（連結）

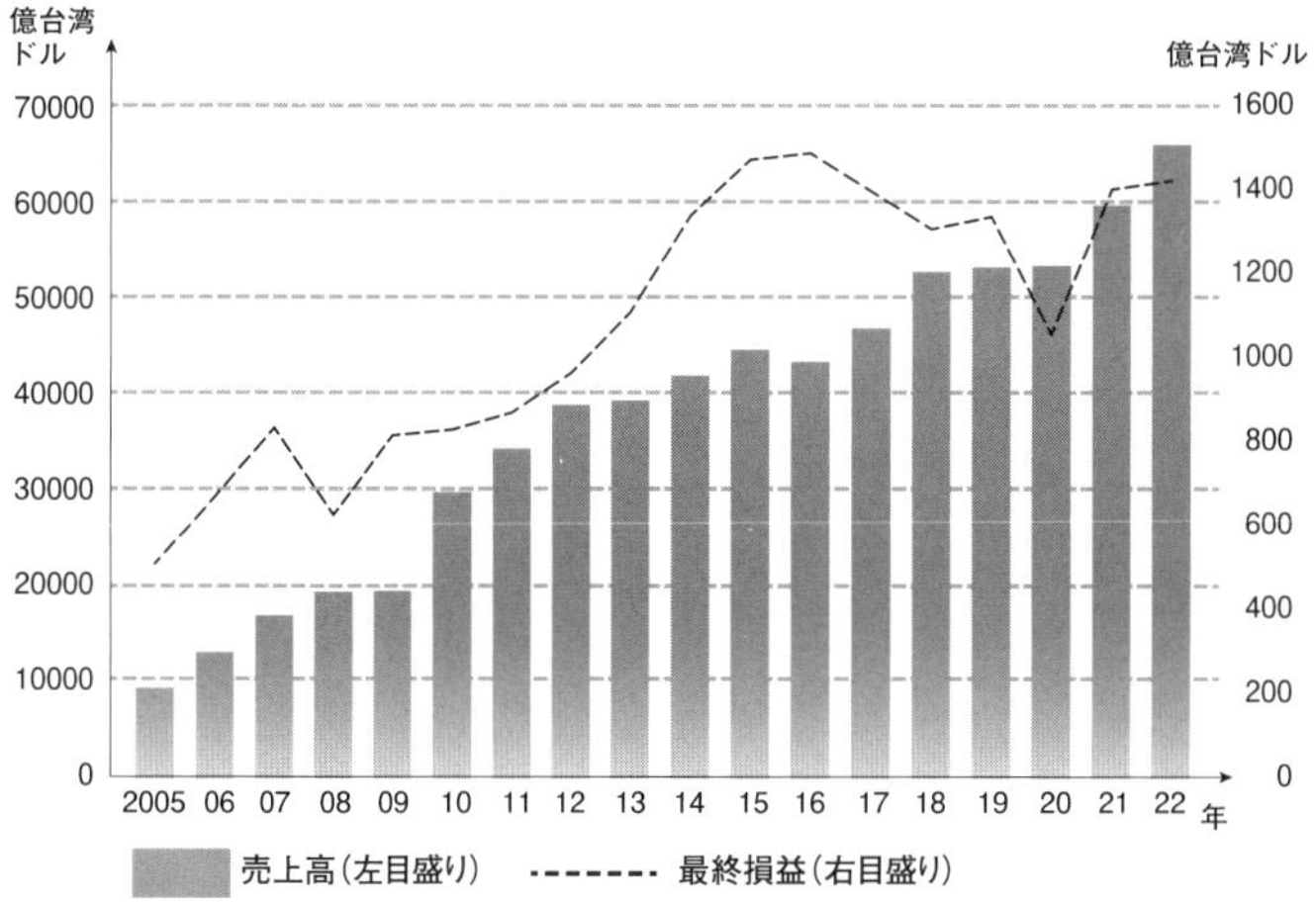

出典：鴻海精密工業のホームページより著者作成

台湾のＥＭＳ世界最大手、鴻海精密工業が多角化を急いでいる。二〇一五年六月二十日にソフトバンクグループと提携してヒト型ロボット「ペッパー」を発売したほか、通信事業や自動車産業への本格進出に向けた取り組みを進めている。背景には、米アップルへの過度の依存から脱却したいとの思惑がある。

「ペッパー」は人間の感情を読み取り、自らも会話やため息などで感情を表現する機能を備える。窓口や受付で客の注文を聞いたり、介護現場や家庭でお年寄りや子どもの相手をしたりするなど用途は幅広い。本体価格は一九万八〇〇〇円（税抜き）で、インターネットで受け付けたところ、初日はわずか一分で予定していた一般向け一〇〇〇台を完売した。

鴻海はソフトバンクのロボット子会社に二〇パーセント出資し、得意の量産技術を生かす。「ペッパー」のようなサービス型ロボットは、日本国内で二〇年後には現在の一三倍の四兆九〇〇〇億円に市場が拡大すると予測されている有望分野だ。六月二十五日に開いた株主総会で、郭台銘会長はロボット事業を強化するとともに、産業用ロボットを自社工場に導入して人件費の削減もめざす方針を表明した（＊1）。

今では世界的企業となった鴻海だが、始まりは郭氏が一九七四年に友人と設立した小さなプラスチック製造会社だ。中国に大規模な生産拠点を構え、Ｍ＆Ａ（企業の合併・買収）を繰り返してさまざまな分野に進出する手法により、右肩上がりで業績を伸ばしてきた。二〇一四年十二月期の売上高は約一六兆八五〇〇億円と、日本の電機トップ、日立製作所の九兆七六一九億円（二〇一五年三月期）をはるかに上回る「ハイテクの巨人」である。

町工場から出発し、自社ブランドを持たずに受託生産に徹する鴻海は台湾メーカーの典型であり、郭氏は「台湾ドリーム」を体現した立志伝中の人物だ。日本ではほとんど知られていなかったが、二〇一二年に経営危機に陥ったシャープの救済に名乗りを上げ、一躍有名になった。

そんな鴻海の躍進に大きく貢献したのが、アップルからの受注だった。携帯音楽プレーヤーｉＰｏｄ[＊2]やｉＰｈｏｎｅ、ｉＰａｄなどの生産を一手に引き受け、アップルと二人三脚で発展してきた。だが、アップルとの関係の深さは、逆にリスクとなってきた。スマートフォンは消費者に一通り行き渡り、アップルの成長鈍化が鴻海の足を引っ張る懸念が強まっているからだ。現在、鴻海の売上高に占めるアップル関連の比率は約五割とされるが、リスク分散が急務となってきた。

そこで最近、鴻海が力を入れているのが、ロボット事業のほか、通信事業や自動車関連事業である。二〇一四年六月、台湾四位の通信会社、亜太電信に出資し、第四世代高速通信「４Ｇ」のサービスを始めた。次世代の「５Ｇ」技術開発にも取り組み、通信事業での足場固めに懸命だ。

郭氏は中国で電気自動車（ＥＶ）に投資する考えを示しており、二〇一五年三月には中国のネットサービス大手、騰訊（テンセント）などとＥＶの研究開発をスタートさせた。すでに二〇一四年から、傘下企業を相次いで自動車部品産業に参入させており、自動車分野への本格進出の準備を着々と進めている。[＊3]

そのほか、クラウドやビッグデータ取引、太陽光発電、複合商業施設などの事業にも次々と投資している。ただし、現段階ではどれも柱の事業になれるかどうかは不透明だ。郭氏は以前から日本企業を高く評価しているだけに、多角化路線を追求するなかで、日本企業と組む可能性は高いと言っていいだろう。

（＊1）ソフトバンクグループは二〇二〇年夏から「ペッパー」の生産を停止した。同社は「在庫が十分に確保できたための一時的停止」（『朝日新聞』電子版、二〇二二年六月二十九日）としている。

（＊2）アップルは二〇二二年五月、ｉＰｏｄの在庫がなくなり次第、販売を終了すると発表した。

（＊3）鴻海はＥＶ事業に力を入れ、劉《りゅう》揚《よう》偉《い》会長は二〇二二年五月の株主総会で「今後3年間のうちに、年1兆台湾ドル（4兆円強）の売上高を想定し、毎年50万～75万台を出荷する。25年には世界シェア5％を獲得する」（『日本経済新聞』電子版、二〇二二年五月三十一日）と述べている。

シャープ買収で見せた執念

経営再建中のシャープが、台湾のＥＭＳ大手、鴻海精密工業の買収受け入れを決めた。日本の電機大手が外資の傘下に入るのは初めてとなる。決め手となったのは、鴻海の郭台銘会長の執念と行動力だった。

最初に鴻海がシャープ救済に名乗りを上げたのは二〇一二年三月だ。シャープは主力の液晶事業が振るわず、三七六〇億円の巨額赤字を出した。

このとき、郭氏は個人の身分で、液晶パネルを生産するシャープ堺工場（大阪府堺市）の運営子会社、堺ディスプレイプロダクト（ＳＤＰ）に六六〇億円を出資して三七・六一パーセントの株式を取得し、鴻海はシャープと工場を共同運営するようになった。（＊1）同時に、鴻海がシャープ本体に六六九億円出資して九・八八パーセントの筆頭株主になる資本提携も発表されたが、シャープの株価が急落したため価格面で折り合わず、交渉はまとまらなかった。

これで提携話は消えたと思われていたが、シャープの技術力を高く評価する郭氏は、その後も「今でもシャープ本体に出資したいと考えています」「一度縁のあった相手ですから、思い入れというものがあります」（『週刊東洋経済』二〇一五年三月二十八日号）とラブコールを送り続けた。台湾のメディアは、郭氏のシャープへの入れ込みようを、恋愛に例えて「鴻夏恋」（夏はシャープの中国語名「夏普」のこと）と呼ぶ。

シャープは二〇一五年三月期に二二二三億円の赤字に陥り、ふたたび危機を迎えた。官民ファンドの産業革新機構が出資を申し出、交渉が進められた。

だが、産業革新機構の提案は液晶事業を切り離し、家電事業も東芝と統合するなど、シャープには厳しい内容だった。郭氏はシャープ経営陣の迷いを見逃さなかった。総額六六〇〇億円でシャープを丸ごと買収し、銀行による金融支援も不要という好条件を提示したのだ。

郭氏は二〇一六年一月末、自家用ジェット機で大阪に飛び、シャープ本社に乗り込んで買収案を説明した。シャープが鴻海との交渉を優先させる方針を示した直後の二月初めにも、ふたたびシャープ本社を訪れて直談判した。

四年間も諦めなかった執念と、ここぞというときに見せた郭氏の行動力が、シャープ経営陣の心をつかんだ。シャープは二月二十五日の臨時取締役会で、鴻海から四八九〇億円の出資を受け入れることを決めた。

ただし、シャープが将来、負債となる恐れのある「偶発債務」のリストを直前に提出したため、鴻海側は精査する時間が必要だとして、二月二十九日としていた交渉期限を延長することにした。すでに双方の駆け引きが始まっているようだ[＊2]。

カリスマ創業者である郭氏は、M&Aによって次々と事業版図を拡大していく様子から、台湾では「現代のチンギス・ハン」と呼ばれている。ワンマン経営による意思決定の速さには定評があり、郭氏は「鴻海は顧客に製品を売っているのではなく、スピードを売っているのだ」と公言するほどだ。

日本人経営者には見られない強いリーダーシップと、転んでもただでは起きないしたたかさを備えた郭氏が、どのようにシャープを立て直すのか、目が離せない。(＊3)

（＊1）郭氏は二〇一九年にSDP株を投資会社に売却したが、二〇二一年にシャープが株式交換により投資会社からSDP株を取得し、自社保有分と合わせ、SDPを完全子会社化した。取得額は株価から計算すると約四〇〇億円とみられる。

（＊2）シャープは二〇一六年八月、最終的に鴻海から三八八八億円の出資を受け入れ、鴻海は六六・〇七パーセントの筆頭株主となった。鴻海からすると、出資金は当初予定より約一〇〇〇億円少なくて済んだことになる。

（＊3）シャープは二〇一六年三月末に債務超過に陥り、東証一部から二部に降格していたが、鴻海傘下で再建を進めて解消し、二〇一七年十二月、一部に復帰（東京証券取引所は二〇二二年四月、それまでの一部、二部など五市場を「プライム」「スタンダード」「グロース」の三市場に再編）。二〇一八年三月期、四期ぶりに七〇二億円の最終黒字に転換した。

iPhone特需にわく

米アップルが二〇一七年十一月に発売したスマートフォン最上位機種・iPhoneX（テン）の売れ行きが好調で、部品の供給や組み立てを担う台湾のIT企業が特需にわいている。主要一九社の十月の売上高は急伸し、景気の先行きにも強気の見方が広がる。ただ、当初、生産の遅れが生じたことから、七〜九月の業績が低迷した企業も多く、台湾IT業界の「アップル頼み」の現状があらためて浮き彫りになった。

iPhoneXはアップルが初代・iPhone登場から一〇年となるのを記念して投入したもの

で、画面に液晶に代わって有機ＥＬを使用したり、ホームボタンをなくして顔認証システムを導入したりするなど最新の技術を盛り込んでいる。日本では十月二十七日から予約を受け付け、十一月三日から販売を始めた。

アップルが公開しているｉＰｈｏｎｅの主要サプライヤーリスト（約二〇〇社）で台湾企業は国・地域別で最多の四六社を占めており、ｉＰｈｏｎｅの生産に欠かせない存在だ。

ＴＳＭＣはスマートフォンの頭脳となるシステムＬＳＩの開発段階から関わり、全量の生産を委託されている。鴻海精密工業は従来からｉＰｈｏｎｅの最終組み立てをほぼ独占してきたが、ｉＰｈｏｎｅＸでも大部分を任された。

可成科技（キャッチャー・テクノロジー）はｉＰｈｏｎｅＸで初めて採用するガラスと金属の複合ケース、大立光電（ラーガン・プレシジョン）は顔認証やカメラのレンズを請け負うなど、高い技術力で貢献する。

このほか、宸鴻《しんこう》光電科技（ＴＰＫ）はタッチパネル、英業達（インベンテック）はイヤホン、新普科技（シンプロ・テクノロジー）は電池というように、多彩な台湾企業がｉＰｈｏｎｅＸの生産を支えている。

こうした企業はｉＰｈｏｎｅＸ特需が業績を押し上げ、主要一九社の十月の売上高は前年同月比六・三パーセント増の一兆一六二五億台湾ドル（約四兆四〇〇〇億円）に上った。同〇・六パーセント増と急減速した九月から持ち直し、一一カ月連続の増収となった。

だが、ｉＰｈｏｎｅＸは九月下旬ごろまで、技術的な問題から顔認証に関連した部品の一部の生産が想定どおりのペースで進まず、通常は九月に行う予約を大幅に遅らせざるを得なかった。これまでの新機種発売では初夏から九月までが生産の最盛期だったが、今回は十月以降にずれ込んだ。

また、アップルが九月に発売したｉＰｈｏｎｅ８は、ｉＰｈｏｎｅＸ目当てに買い控える客が多く、売り上げは伸びていない。鴻海の七～九月期の連結決算は最終利益が前年同月比三九パーセント減となるなど、アップルの動向が台湾ＩＴ業界を揺さぶった。

現在、市場ではｉＰｈｏｎｅＸの品薄状態が続いているが、九月下旬からは安定的に生産できる体制が整っており、十一月以降の生産量はさらに増える見通しだ。

このようにアップルと運命をともにしてきた台湾ＩＴ業界は、過去に苦い経験をしている。ｉＰｈｏｎｅが販売不振をかこった二〇一五年後半から、台湾経済は四半期として三期連続でマイナス成長に陥り、鴻海は二〇一六年、一九九一年の上場以来初の減収となった。

アップルに過度に依存するリスクを解消するには、このところ急速に成長している中国のスマートフォンメーカーとの関係を強化するのが現実的だ。だが、中国政府は部品分野でも自国企業を育成する方針を打ち出している。台湾のＩＴ企業はまだしばらく、「アップル頼み」から抜け出せないようだ。

ファーウェイ禁輸の直撃を受ける

米国が発動した中国の通信機器大手、華為技術（ファーウェイ）への輸出を事実上禁止する制裁措置が世界のハイテク業界を揺さぶるなか、台湾企業も直撃を受けている。部品を供給したり、製品を受託生産したりしている企業が多いためで、業績悪化は避けられない見通しだ。

米商務省は二〇一九年五月十六日、ファーウェイが制裁対象のイランと取引したとして、輸出管理法に基づき、安全保障上懸念のある外国企業を列挙した「エンティティー・リスト」に追加した。これにより、米国からの製品や技術の輸出は原則禁止となった。

この規制は、市場価格ベースで米国企業の部品やソフトが二五パーセント以上含まれていれば、米国以外の外国製品にも適用される。受託生産の場合は、米国由来の知的財産や材料などが二五パーセント超だと取引禁止の対象となる。基準は曖昧な面があるが、違反すれば、米企業との取引禁止などの行政罰や刑事罰を科せられるため、各国企業は慎重にならざるを得ない。

ファーウェイの二〇一八年十二月期の売上高は七二一二億元（約一一兆五〇〇〇億円）で、日本最大の電機メーカー、日立製作所の九兆四八〇六億円（二〇一九年三月期）を上回る巨大企業だ。二〇一八年の通信基地局の売上高世界シェアはエリクソン（スウェーデン）に次ぐ二位の二六・〇パーセントで、次世代高速通信「５Ｇ」向けの通信機器も手がけている。スマートフォンの出荷台数世界シェアでも一四・七パーセントで三位につけ、二位の米アップル（一四・九パーセント）を猛追している。

売上高の半分が海外というグローバル企業だけに、取引先企業は全世界で一万社を超えるとされ、部品調達や生産委託額は年間約六七〇億ドル（約七兆四〇〇〇億円）に上る。台湾企業も三〇社以上がサプライチェーンに組み込まれており、二〇二〇年は平均して一〇パーセント強の減益になると予想されている（台湾『中央通信』二〇一九年五月二十二日）。

なかでも取引額が多い主要取引先は九二社に上り、鴻海精密工業、ＴＳＭＣなど台湾の大手企業一〇社も入っている。鴻海は傘下の企業が通信機器などの組み立てを請け負っており、ＴＳＭＣは半導体を受託生産している。

こうした状況から、米国の措置を受け、ファーウェイ向けの比率が高いスマートフォン用カメラレンズ大手のラーガン・プレシジョンの株価が前日比で一時六・二三パーセントも下がるなど、ハイテク株は軒並み下落した。ただ、ＴＳＭＣは米国の禁止基準には該当しないとして、ファーウェイ向けの出荷を継続する意向を表明するなど、企業によって判断が分かれている[＊1]。

一方、中華電信など通信会社五社は、ファーウェイ製のスマートフォンの在庫がなくなり次第、販売を中止すると発表した。米グーグルがファーウェイ向けソフトの提供を停止したと報道され、ファーウェイのスマートフォンが採用しているグーグルの基本ソフト（ＯＳ）「アンドロイド」が使えなくなる恐れが出たためだ。

台湾では、ファーウェイのスマートフォンは、新機種発売日には長蛇の列ができるなど、人気が高い。四月に発売した新機種の売れ行きが好調だったことから、同月の台湾でのシェアを前月の六・八パーセントから八・九パーセントに伸ばし、五位から四位に浮上するなど、勢いを増しつつあった。だが、グーグルのソフト提供停止のニュースが流れると、ファーウェイ製のスマートフォンを購入したばかりの利用者から返品を求める声が相次ぐなど、敬遠する動きが広がった。

政府もファーウェイ製品に対する警戒を強めている。四月には、安全保障上の懸念がある通信機器や設備を公的機関が使用することを制限する方針を打ち出し、「５Ｇ」ではファーウェイなど中国製の通信設備の導入は認めないことを決めた。経済部傘下の研究機関、工業技術研究院がファーウェイのスマートフォンによる内部のネットワークへのアクセスを禁止するなど、ファーウェイ排除の取り組みが進んでいる。

行政院のコラス・ヨタカ報道官は「政府機関ではファーウェイの製品は使っていないが、現在、各機関で安全保障上の懸念がある製品の使用状況を調査しており、必要なら法令を整備する」と対応を説明している（台湾紙『経済日報』電子版、二〇一九年五月十六日）。台湾にとって、以前から中国は安全保障上の脅威となっていただけに、政府はこれを機に、規制を強化していく構えだ。

（＊1）米国が二〇二〇年五月、ファーウェイへの禁輸規制を強化したのを受け、ＴＳＭＣもファーウェイからの新規受注を停止した。

３　苦戦する自由貿易競争

先行する韓国に対抗

台湾が貿易自由化競争で苦しい戦いを強いられている。アジア太平洋自由貿易圏（ＦＴＡＡＰ）の基礎となる環太平洋連携協定（ＴＰＰ）と東アジア地域包括的経済連携（ＲＣＥＰ）のいずれにも参加していないうえ、二〇一四年十一月十日には中国と韓国が自由貿易協定（ＦＴＡ）締結交渉で実質的に妥結した。ＩＴなど主力輸出品が韓国と競合する台湾は焦りの色を濃くしている。

ＦＴＡＡＰはアジア太平洋経済協力会議（ＡＰＥＣ）に加盟する二一カ国・地域全体をカバーするメガＦＴＡで、米国が二〇〇六年に提唱した。まだ構想段階で、米国は日本やカナダ、マレーシアなど一二カ国が参加するＴＰＰを土台にしてＦＴＡＡＰの実現をめざそうとしている。これに対し、ＴＰＰに入っていない中国は、ＡＳＥＡＮ一〇カ国と日本、中国、韓国、オーストラリア、ニュージーランド、インドの一六カ国で構成するＲＣＥＰをＦＴＡＡＰに発展させたい考えだ。

十一月に北京で行われたＡＰＥＣ首脳会議では、議長国の中国が共同声明にＦＴＡＡＰの実現目標時期を二〇二五年と明記するよう求めたが、ＴＰＰに勢力を注ぎたい日米が反対して見送られるなど、主導権争いが繰り広げられた。

台湾のTPP参加国との貿易額は台湾全体の三五パーセント、RCEPは五七パーセントを占めており、二つの広域FTAから除外されている現状は不利だ。APECのメンバーである台湾は、FTAAPに加盟する資格は有しているものの、TPPにもRCEPにも参加できなければ、FTAAPのルールづくりに加われないことになる。台湾はTPPとRCEPへの早期参加を希望しているが、中国の意向に左右される側面が強く、見通しは不透明だ。

さらに、台湾にとって痛手なのは中韓FTAの実質妥結だ。韓国は半導体や液晶パネルなど多くの分野で輸出品目が重なるライバルだけに、中韓FTAが始動すれば、台湾の輸出が食われる恐れがある。九月に大阪で取材した台湾経済部国際貿易局の徐大衛《じょだいえい》副局長も「影響は避けられないだろう」と危機感を隠さなかった。

二〇一〇年六月に台湾が中国と実質的なFTAである経済協力枠組み協定（ECFA）を結んだときは、台湾と韓国は今とは逆の立場だった。当時韓国では、中国と台湾を合わせた「チャイワン」という造語が盛んに使われ、中台の経済連携に強い警戒感を示す論調が目立ったものだ。

韓国のFTA交渉妥結は中国が一三番目だが、国数では五〇カ国に上り、これで韓国のFTA網は世界のGDPベースで七三・二パーセントに達する。米国や欧州連合（EU）とのFTAもすでに発効しており、中国も含めると世界三大経済圏で自由貿易圏を築くことになる。（＊1）

一方、台湾は中国とECFAを結んだ後は「一つの中国」原則を掲げる中国の圧力を受け、FTAを締結しているのは、外交関係を有する国が多い中南米以外はニュージーランドとシンガポールだけで、中国を入れても計八カ国にとどまっている。（＊2）

ＥＣＦＡ具体化の一環として、二〇一三年六月に中国とサービス貿易協定を結んだが、反対する学生らが立法院（国会）を占拠したこともあって、ＥＣＦＡ完成に向けた協議は大幅に遅れている。ＴＰＰ、ＲＣＥＰとも交渉が難航し、当初目標の合意時期がずれ込みそうな情勢のなか、台湾は貿易自由化をどう進めていくのか、その戦略が問われている。[＊3]

（＊1）中国と韓国は二〇一五年六月にＦＴＡに調印し、同年十二月に発効。二〇二二年七月現在で、韓国は一八のＦＴＡが発効しており、発効済みＦＴＡ相手国との貿易額が貿易総額に占める割合は、輸出八〇・〇パーセント、輸入七六・八パーセント、輸出入総額七八・四パーセント（いずれも二〇二一年）となっている。

（＊2）二〇二一年時点で台湾の発効済みＦＴＡ相手国との貿易額が輸出入総額に占める割合は三〇・〇パーセントで、韓国とは大きな開きがある。二〇二二年七月には、ニカラグアとの断交に伴ってＦＴＡも失効した。

（＊3）ＴＰＰは米国が離脱した後、二〇一八年三月に「ＣＰＴＰＰ（包括的および先進的な環太平洋連携協定）」として一一カ国が署名し、同十二月発効。中国と台湾は二〇二一年九月、ほぼ同時に加盟申請した。ＲＣＥＰはインドを除く一五カ国が「地域的な包括的経済連携」として二〇二〇年十一月に署名し、二〇二二年一月発効した。

米中貿易戦争の先行きに募る不安

高関税の応酬を続ける米中貿易戦争が、台湾企業にも打撃を与えている。すでに定着している中国で生産して米国に輸出するビジネスモデルでは、台湾企業の製品であっても中国製として扱われるためで、中国以外に工場を新設する動きも出てきた。主力であるＩＴ製品の追加関税は免れているものの、トランプ米大統領はさらに対象を拡大する可能性を示唆しており、台湾政府と経済界は先行きに神経をとがらせている。

トランプ政権は対中制裁第一弾として八一八品目（三四〇億ドル＝約三兆八〇〇〇億円相当）、第二弾として二八四品目（一六〇億ドル相当）にそれぞれ二五パーセントの追加関税を課す方針を表明した。第一弾は二〇一八年七月六日に発動し、第二弾も八月中に発動する構えだ。

七月十日には、第三弾の六〇三一品目（二〇〇〇億ドル相当）のリストを公表した。第一弾、第二弾は産業向けの素材・部品がほとんどだったのに対し、第三弾は家具や家電、皮革製品など消費者に身近な製品が多い。追加関税は一〇パーセントの予定だが、二五パーセントに引き上げる案も浮上しており、意見公募の後、九月以降に発動する見通しだ。

一方、中国も報復措置第一弾として七月六日、米国の大豆や牛肉など農産品を中心とした五四五品目（三四〇億ドル相当）に二五パーセントの追加関税を課した。第二弾（一六〇億ドル相当）も米国の発動と同時に実施すると宣言しており、第三弾についても報復措置を検討している。世界一位と二位の経済大国が幅広い分野で互いに高関税をかけあう異常事態となり、世界経済への悪影響は避けられない情勢だ。

ただ、米国の追加関税の対象には、中国からの輸入額が一位の携帯電話・スマートフォンと二位のコンピューターは含まれていない。このため、今のところ台湾経済が受ける影響は限定的だが、台湾経済部は通信設備、ローエンド・ミドルエンドの自転車と同部品、工具類などへのダメージが大きいと警戒している。

こうした状況をにらみ、台湾の大手自転車メーカー、巨大機械工業（ジャイアント）は七月、東欧ハンガリーに工場を建設し、二〇一九年から生産を開始する計画を発表した。杜《と》綉《しゅう》珍《ちん》会長は「中国には六工場があり、全世界の需要に応じられるが、米国などの高関税に対応して生産拠点を調整することにした」と説明している（台湾『中央通信』二〇一八年七月十九日）。

台湾にとって最大の不安材料は、米中貿易戦争の展開が読みにくい点だ。トランプ氏は七月二十日、米経済専門テレビＣＮＢＣのインタビューで、中国からの全輸入品（五〇〇〇億ドル相当）について「制裁関税を課す用意がある」と述べた。

もしそうなれば、ＩＴ製品も対象に含まれ、鴻海精密工業などＥＭＳをはじめとする台湾のＩＴ企業に与える影響は計り知れない。石油化学やプラスチック原料業界なども同様で、台湾経済は大きなリスクを抱えることになる。

現在、台湾の輸出の約四割は中国（香港を含む）向けだが、その九割近くは台湾企業が中国に持つ生産拠点に部品や部材などを輸出している分で、多くが中国で最終製品に仕上げられて米国に輸出されている。台湾経済の過度の対中依存は、米中の対立という外部要因によって命運を左右されるもろさを露呈している。

加速する製造業の回帰

米中貿易戦争の激化に伴い、中国に進出している台湾企業の生産拠点回帰が加速している。台湾政府もバックアップし、Ｕターン投資予定額は二兆円を超える勢いだ。この動きが経済を押し上げる効果を生んでおり、蔡英文総統にとっては二〇二〇年一月の総統選に向けた格好のアピール材料となっている。

台湾企業が中国の生産拠点を台湾に戻す動きは、近年、増加傾向にあった。人件費の上昇と環境規制の強化などにより、中国で製造業を展開するメリットが薄れてきたためだ。

著しい経済発展によって中国の人件費は台湾の六割程度に達し、コスト面での優位性を失いつつある。また、二〇一四年に環境保護法が改定され、違反した企業には罰金や設備の押収など厳しい措置が行われるようになったことで、進出企業には大きな負担となっている。

　このような台湾企業の中国離れを後押ししているのが米中貿易戦争だ。トランプ米政権は二〇一八年九月、対中制裁第三弾として、中国から輸入する食料品や家電など六〇三一品目（二〇〇〇億ドル相当）に一〇パーセントの追加関税（二〇一九年五月から二五パーセントにアップ）を課した。課税対象は一気に拡大し、多くの製品が値上がりするなど米国の市民生活にも大きな影響が出ている。

　一九八〇年代以降、台湾企業は中国を生産・輸出基地として活用してきた。中国に進出している日本企業は製造する製品を現地で販売する比率が高いが、台湾企業は八割近くを中台以外の第三国に輸出しており、米国向けは三割弱を占める。

　米国の追加関税の対象には海外企業が中国で生産した製品も含まれるので、米中貿易戦争によって台湾企業が受ける打撃は他国の企業と比べても重大で、工場を中国外に移管する必要に迫られた。

　蔡政権はそうした台湾企業の回帰投資の促進をねらい、二〇一九年一月から、一定の条件を満たす企業への支援プログラム「歓迎台商回台投資行動方案」を進めている。

　具体的には、「米中貿易摩擦の影響を受けている」「中国に投資して二年以上たつ」「台湾に回帰または拡張する生産ラインはスマート技術を有する」の三条件をクリアしたうえで、「重点七産業のイノベーション領域に属する」「高付加価値製品および中核部品関連産業に属する」など詳細な五条件の一つに適合している企業は、土地や人材の斡旋《あっせん》、低利融資などの優遇措置を受けることができるというものだ。

認可された投資案件は、八月二十二日現在で一一八社、投資予定額は累計五六三七億台湾ドル（約二兆円）に上っている（『ＳａｎｋｅｉＢｉｚ』二〇一九年九月十六日）。業種は電子部品、機械設備、自動車部品、自転車など幅広く、ＥＭＳ大手の和碩聯合科技（ペガトロン）や広達電脳（クアンタ）、「ジャイアント」のブランドで知られる自転車大手の巨大機械工業など著名企業も含まれている。

トランプ政権は中国からの輸入額が一位の携帯電話・スマートフォンと二位のコンピューターへの追加関税は避けていたが、第四弾として、二〇一九年九月から家電や衣料品など三二四三品目（一一〇〇億ドル相当）への一五パーセント追加課税に踏み切り、十二月からはノートパソコンや携帯電話・スマートフォン、ゲーム機など五五五品目（一六〇〇億ドル相当）にも一五パーセントの追加関税を発動すると宣告している。

いよいよ台湾企業が得意とするＩＴ製品も対象となる見込みで、台湾企業が生産拠点を中国外に移転する動きに拍車がかかりそうだ[*1]。

こうした企業のＵターンは、台湾経済には追い風となり、二〇一九年一～五月の台湾の対米輸出額は前年同期比二二・五パーセント増加した。行政院主計総処は八月、二〇一九年通年の実質経済成長率の見通しを五月時点より〇・二七ポイント高い前年比二・四六パーセントに上方修正するなど、展望も明るさを増している[*2]。

蔡氏は自身のフェイスブックで台湾企業の回帰現象を紹介し、経済振興に必要な措置は「すべて成し遂げた」と書き込むなど、政権運営の実績としてＰＲしている。

総統選で対決する国民党の韓国瑜・高雄市長は「蔡政権では暮らしはよくならない」と経済政策を批判して支持率を上げてきただけに、蔡氏が経済面で得点を稼げば、選挙情勢にも有利に働くだろう。

ただし、人件費が先進国並みの台湾への回帰は一時的なもので、今後は東南アジアなどに移っていくとの見方もある（日本総合研究所『アジア・マンスリー』二〇一九年七月号）。蔡政権は、貿易で約四割（香港向けを含む）、海外投資で約六割という過度の対中依存を是正するため、東南アジアなどへの投資を奨励する「新南向政策」を推進しており、台湾企業の東南アジアシフトが進んだとしても、対中依存度を下げることができれば、成果として誇示することができる。

だが、台湾の空洞化が進んで実体経済にマイナスの影響が及べば、批判が出るのは避けられず、蔡政権は難しいかじ取りを強いられる。

（＊1）米国は二〇一九年十二月に米中第一段階合意が成立したのを受け、第四弾のうち九月発動分の追加関税一五パーセントを七・五パーセントに引き下げ、十二月発動分の追加関税一五パーセントは見送った。

（＊2）台湾の二〇一九年の成長率は三・〇六パーセントだった。

実現に踏み出す米台ＦＴＡ

米中対立を背景に、米国と台湾の経済連携の動きが強まっている。米国は国務省ナンバー三のクラック次官（経済成長・エネルギー・環境担当）を二〇二〇年九月十七日から十九日まで台湾に派遣し、台湾側と「新たな経済対話」について協議した。クラック氏は一九七九年の米台断交以来、訪台した国務省高官としては最高位で、蔡英文政権の最大公約の一つである米台ＦＴＡ締結が現実味を帯びてきた。

クラック氏の訪台は九月十九日に営まれた李登輝元総統の告別式への参列が主目的とされたが、十八日には蘇貞昌行政院長（首相）、呉釗燮外交部長（外相）、王美花《おうみか》経済部長（経済相）らと相次いで会談した。会談の内容は公表されなかったが、中国依存から脱却するサプライチェーンの再構築などについて意見交換した模様だ。

米国のスティルウェル米国務次官補（東アジア・太平洋担当）が八月、台湾との「新たな経済対話」の枠組みを創設する方針を表明しており、クラック氏の一連の会談はその準備作業と位置づけられた。台湾には、最先端の半導体や次世代高速通信「５Ｇ」で中核技術を担うＩＴ企業が多い。中国とハイテク技術の覇権争いを繰り広げる米国はそうした台湾企業の取り込みを図るため、「新たな経済対話」を米台ＦＴＡにつなげたい考えで、台湾側の思惑とも一致する。

蔡政権は八月、安全面への配慮から制限してきた米国産の牛肉と豚肉の輸入を二〇二一年一月から全面的に解禁すると発表した。台湾の米国産牛肉と豚肉の輸入規制は、米台ＦＴＡ交渉開始の最大の障壁と言われていただけに、台湾側が環境を整えた格好だ。

そんな双方の接近ぶりを象徴する出来事があった。クラック氏は九月十八日、蔡総統主催の夕食会に臨んだが、民間人で唯一参加したのがファウンドリー世界最大手・ＴＳＭＣの張忠謀（モリス・チャン）前会長だった。張氏は二年前に引退したが、今も世界の半導体業界で強い影響力を持っている。

ＴＳＭＣは五月、米国の熱烈な勧誘を受け、海外初の最新鋭工場をアリゾナ州に建設することを決めた。米政府の支援を受けて二〇二四年に稼働する計画で、投資額は一二〇億ドル（約一兆三〇〇〇億円）の巨額プロジェクトになる見通しだ。[＊1]

通信機器大手のファーウェイをはじめ、中国にはＴＳＭＣの大口顧客が多く、同社は中国とも関係が深い。米国はＴＳＭＣが最新鋭工場を中国に建設すると、高い技術が中国に流れ、安全保障上の懸念が生じると判断したようだ。製造装置も含め米国の技術を使っている外国企業にファーウェイへの輸出を禁じることで、TSMCがファーウェイと取引できなくする一方で、好待遇で工場誘致するなど、半ば強引にTSMCを自陣に引き込んだかたちだ。

米台FTAが実現すれば、台湾にとって巻き返しを図る絶好の機会となる半面、台湾企業の多くは米中とうまくバランスを取りながら付き合うことで発展してきたのが実情で、米中の板挟みで苦慮する状況が続きそうだ。

（＊1）TSMCは二〇二二年十二月、アリゾナ州に新たに第二工場を建設する計画を発表し、投資額は四〇〇億ドルに増えることになった。

4　相次ぐ試練と挑戦

自転車ブームの仕掛け人

二〇一四年七月に公開された日台合作映画『南風』（萩生田宏治監督）は、全編サイクリングシーンのロードムービーだ。雑誌編集者の日本人女性が取材で台湾を訪れ、モデルを夢見る少女やサイクリストの青年らと出会い、台北から中部の日月潭まで自転車で旅するストーリー。九份や淡水などの美しい風景がスクリーンに広がる。

この映画にも登場するが、台湾では政府がサイクリングロードの整備を進めている。レンタサイクルショップも多く、休日に郊外でサイクリングを楽しんだり、自転車で観光地をツアーしたりするのがブームになっている。台湾はアジアトップクラスのサイクリング天国なのだ。

台湾でサイクリング人気が高まってきたのは、映画『練習曲』が大ヒットした二〇〇七年ごろからだろう。聾《ろう》啞《あ》の青年がギターを背負って自転車で台湾を一周する物語で、行く先々での心温かい人たちとの触れ合いが胸を打つ。

そうしたブームを見て、馬英九氏は総統選挙運動の一環として二〇〇七年五月、一〇日かけて自転車で台湾を最南端から最北端まで縦断した。エリート臭が抜けず、「地方を知らない」と陰口をたたかれていた馬氏は自転車で隅々まで足を運び、台湾への愛着と庶民派ぶりをアピールした。

実は、台湾の自転車ブームには仕掛け人がいる。大手メーカーの巨大機械工業（ジャイアント）である。財団法人「自行車（自転車）新文化基金会」を設立し、ギネスブックに登録された「一〇万人の自転車で台湾を一周」などさまざまなイベントを実施してサイクリングの魅力をPRしている。創業者の劉金《りゅうきん》標《ひょう》会長自身も七十三歳で島一周に挑み、連日メディアで取り上げられるなど、話題づくりに余念がない。

ジャイアントは劉氏が一九七二年に設立し、当初はＯＥＭ（相手先ブランドによる受託生産）が主体だったが、一九八一年に「ジャイアント」ブランドを立ち上げ、今では世界的なブランドになった。中国企業などとの低価格競争に巻き込まれやすいローエンド車には手を出さず、マウンテンバイクやロードバイクなど高級車を中心に生産し、自社の販売店や自転車専門店にしか卸さない方針を貫く。

私は二〇〇三年、台中にあるジャイアントの本社工場を取材した。自転車は労働集約型産業と思い込んでいたが、案内役の副社長はそんな見方に「われわれは品質に重点を置き、常に技術開発に挑み、『本物』を追求している」と反論し、「ホンモノ」という部分を、わざわざ日本語を使って強調してみせた。実際、研究開発に力を入れており、スポンサーを務めた欧州のレーシングチームが自転車レース最高峰のツール・ド・フランスで団体優勝するなど、技術力の高さを証明している。

だが、いくら品質がよくても、環境に優しく、健康にもいいという自転車が持つ価値が重視される社会でなければ、値段の張るハイエンド車は普及しない。劉氏はそうした価値観を「自転車文化」と呼び、「私たちは自転車メーカーですけれども、いまは自転車を売るだけではなく、自転車の文化やライフスタイルの価値を売っているんです」（野嶋剛著『銀輪の巨人』東洋経済新報社）と語る。劉氏が広めた「自転車文化」は着実に台湾に根づき、人びとの生活にゆとりと潤いを与えている。

新幹線の経営危機

日本の新幹線システムを海外で初めて採用した台湾新幹線の建設・運営会社、台湾高速鉄路（台湾高鉄）が経営危機に陥っている。早ければ、二〇一五年三月にも経営破綻する可能性があるという切迫した状況だ。台湾での実績を掲げ、新幹線を世界に売り込む日本のインフラ輸出戦略にも狂いが生じかねない事態になっている。

台北—高雄間三四五キロを一時間四〇分で結ぶ台湾新幹線は、台湾高鉄が建設・運営し、三五年で資金を回収して当局に引き渡すＢＯＴ（ビルド・オペレート・トランスファー）方式で進められ、二〇〇七年に開業した。総事業費四六〇七億台湾ドル（約一兆七〇〇〇億円）の多くを融資で賄ったため、金利負担が経営を圧迫し、累積赤字は四七〇億台湾ドルに上る。

主管する交通部（交通省）は、引き渡しまでの期間を七五年に延長し、一年当たりの減価償却費を圧縮するなどの財務改善計画を立法院に提出した。しかし、計画は否決され、葉《よう》匡《きょう》時《じ》交通部長（交通相）は一月初め、責任を取って辞任した。

経営不振の最大の原因は、利用客の伸び悩みだ。台湾高鉄は、設備がすべて整う二〇一〇年以降、一日当たりの乗客数は三〇万人を超えると見積もっていたが、二〇一四年は一三万一〇〇〇人にとどまっている。

一部の株主が配当金の支払いと株の買い戻し求めて台湾高鉄を提訴しており、三月にも判決が言い渡される。そこで多額の支払いを命じられれば、資金ショートを起こす恐れがあるという。そうなった場合、交通部は台湾高鉄の資産を買い取って接収し、新幹線の運行を続ける方針を表明している（＊1）。台湾新幹線は三菱重工業、川崎重工業や商社など七社で構成する日本企業連合が受注し、車両や信号システム、軌道などを請け負った。当初は、仏アルストム、独シーメンスを中心とする欧州企業連合が優先交渉権を得たが、資金計画が難航したことなどから白紙に戻され、日本勢が逆転受注するという異例の経過をたどった。

日本勢が巻き返した背景には、一九九八年六月にドイツの高速鉄道が大事故を起こして安全性に疑問符が付けられたり、一九九九年九月に台湾大地震が発生し、同じ地震国である日本の耐震技術への評価が高まったりするなどの追い風もあった。日台関係を重視する李登輝総統（当時）の意向が働いたとも言われている。

アベノミクスの成長戦略の柱として、日本政府はインフラ輸出に力を入れている。なかでも、開業以来五〇年間、乗客の死亡事故がない新幹線の安全性を売り物に、米国やインド、東南アジアなど各地で計画が進む高速鉄道プロジェクトの受注をめざし、官民挙げてプロモーションを繰り広げている（＊2）。

高速鉄道事業はこれまで、主に日本勢と欧州勢が入札を争ってきたが、最近は中国勢も低価格を武器に参入するなど、競争は激しさを増している。受注合戦の場では、台湾で大きな事故もなく新幹線が走り続け、住民の足として定着していることが、日本にとって絶好のＰＲとなる。その台湾新幹線の経営が行き詰まれば、日本の新幹線に対するマイナスイメージが高まることは避けられない。台湾高鉄の経営危機は、日本にとっても大きな懸念材料となっている。

（＊1）台湾高鉄と交通部は二〇一五年七月、台湾高鉄の株式を六割減資した後、交通部が三〇〇億台湾ドルを出資する財務改善計画に署名。台湾当局の出資比率は三七パーセントから六四パーセントに高まり、政府主導で再建を進めていくことになった。

（＊2）日印両政府は二〇一五年、インド西部のムンバイ—アーメダバード間の五〇八キロメートルに建設する高速鉄道に、日本の新幹線方式を導入することで合意。二〇一七年に着工し、二〇二七年の開業をめざして工事が進んでいる。

問われる「漁業大国」としての責任

秋の味覚、サンマ漁に異変が起きている。かつては日本が世界シェアの七割を占めていたが、台湾や中国が猛烈な勢いで漁獲高を伸ばし、日本を凌駕《りょうが》するようになってきた。ほかの魚も似た状況にあり、東アジア全体で水産資源を保護する仕組みづくりが急務になっている。

サンマの漁獲高は二〇一三年に台湾が日本を抜いて以来、トップを維持している。二〇一六年は一四万六〇〇〇トンで、日本（一一万四〇〇〇トン）を三万トン以上上回った。三位は中国で、六万三〇〇〇トンと台日に比べれば差があるが、二〇一二年の二〇〇〇トンから三一倍の急増ぶりだ。

この背景には、日本以外ではあまり食べる習慣がなかったサンマが、ほかの国や地域でも好まれるようになってきた食生活の変化がある。アジアだけでなく、ロシアや中東などにも広がっているという。

日本と台湾・中国では、漁場や漁の仕方が大きく異なる。消費者が鮮度を重視する日本は、北海道や東北地方沿岸で二〇〇トンクラスの小型船が漁を行い、その日のうちに帰港して生のまま水揚げする。これに対し、台湾や中国は一〇〇〇〜二〇〇〇トンクラスの大型船で日本の沿岸から四〇〇キロ以上離れた公海に繰り出し、数カ月通して漁を行う。

台湾のサンマ漁の基地は、南部・高雄市の前鎮漁港だ。二昼夜かけて公海上の漁場へ向かい、捕れた魚は船上で箱詰めして冷凍し、大型の専用運搬船に引き渡す。漁期の間は一度も台湾には戻らない。半分近くは海外向けだという。

こうした漁場や漁法の違いに加え、近年、海水温が上昇して日本の沿岸にサンマが寄りつかなくなったこともあり、二〇一五年には日本の漁獲高シェアは三二パーセントにまで低下した。

北太平洋でのサンマの漁獲高全体も減少し、二〇一五年は前年比四三パーセント減の三五万四〇〇〇トンと、約四〇年ぶりの低水準に落ち込んだ。資源保護が重要課題となり、日本など八カ国・地域が参加する北太平洋漁業委員会（ＮＰＦＣ）は七月中旬、札幌市で開いた会合で、乱獲防止に向けた国際的な枠組みづくりについて協議した。

その場で、日本は北太平洋の年間漁獲上限を五六万四〇〇〇トンとし、日本に二四万二〇〇〇トン、台湾に一九万一〇〇〇トン、中国に四万七〇〇〇トン、ロシアに六万一〇〇〇トン、韓国に一万九〇〇〇トン――などの国・地域別漁業枠を設定する提案を行った。比較的割当量の多い台湾は日本案を支持したが、中国や韓国は反対し、合意には至らなかった。

一方、二〇一七年末ごろから一年間限定で、台湾と中国、韓国を対象に漁船許可数の増加を禁止することでは一致した。ただし、未許可船の操業が横行すれば、取り決めは有名無実化しかねない。

台湾や中国の漁船は、日本の排他的経済水域（ＥＥＺ）に近い公海上でサンマだけでなく、サバやカツオ、スルメイカなども捕っている。こうしたなか、持続的な漁業を続けていくためには、科学的な調査に基づいて漁獲ルールをつくり、関係各国・地域が厳格に守っていく必要がある。

「漁業大国」である台湾は日本同様、水産資源管理に責任を負う立場にある。折しも日台は二〇一六年、漁業問題などを話し合う「日台海洋協力対話」を発足させた。これを有効に活用すれば、各国・地域の利害が複雑にからむ水産資源管理を、日台がリードしていくことも可能になるのではないか。

第6章 自己主張強める社会

1 受け継がれる民主化の精神

学生が立ち上がった「ひまわり学生運動」

台湾の学生たちが二〇一四年三月から四月にかけ、二四日間にわたって立法院（国会）の議場を占拠した事件は、国際社会の注目を集めた。馬英九政権は当初強く非難し、警察隊との衝突が懸念されたが、最終的に自主退去し、平和的に決着した。この結末は、台湾の民主化の成熟度を示したかたちとなった。

きっかけは、中台サービス貿易協定の承認をめぐり、与党・国民党が立法院の委員会審議を打ち切って本会議での採択に持ち込もうとしたことだった。反発した学生が三月十八日夜、議場に突入した。

ケーブルテレビ大手TVBSの調査で、支持（四八パーセント）が不支持（四〇パーセント）を上回るなど、世論もおおむね今回の行動を肯定した。馬政権は中台協議を立法院が監督する仕組みを法制化するなど、譲歩を余儀なくされた。中台サービス貿易協定には賛否両論あるなか、本来は違法行為である議場占拠を、なぜ台湾の人びとは支持したのか。

一つは、運動が平和的に行われ、統制が取れていたことだろう。一部の学生や市民が行政院（内閣）庁舎に乱入した際には警察隊が強制排除し、負傷者や逮捕者が出たが、立法院では互いに理性的な行動を呼びかける姿が目立った。最終日の四月十日には、学生たちは運動のシンボルであるひまわりの花を手に議場から出て、フォーク調の『この島の夜明け』を歌って解散した。

学生たちは議場内で、インターネットを通じて情報を発信するＩＴ（情報技術）班や海外メディアに対応する国際担当班などを組織し、記者席や医療ブースまで設けた。呼びかけに応じた市民がボランティアで弁当を調達したり、会場周辺の整理に当たったりした。外部に開かれたやり方が受け入れられたのだろう。

もう一つは、政治色を極力排したことだ。学生たちの主張は野党・民進党の立場に近いが、運動が与野党の政治闘争とみられるのを嫌い、民進党とも距離を置いた。議場には「政党を論じるのはやめよう」と印刷されたステッカーが貼られ、立法院近くで選挙の支持を求めて演説をした議員はブーイングを浴びた。「学生たちのバックには民進党がいる」というイメージを持たれていたら、世論の支持は広がらなかっただろう。

「ひまわり学生運動」と呼ばれる今回の運動の手本となったのが、一九九〇年の台湾初の学生デモ「野ゆり運動」だ。当時は李登輝氏が総統に就任してまだ二年で、民主化は進んでいなかった。約二万人の学生が、台湾の将来を話し合う「国是会議」の開催などを求めて、台北市の中正紀念堂広場で座り込んだ。このときは、李氏が学生代表と会い、運動は終結した。学生たちの要求は、後に李氏が実現させた。
この運動でも、学生たちは民進党幹部の演説申し入れを断り、国民党の若手エリートだった馬氏（現総統）の説得にも耳を貸さなかった。解散に当たって皆でゴミを集め、寝袋を片づけた。「ひまわり学生運動」に参加した学生たちは「野ゆり運動」後に生まれた世代が中心だが、学生運動の精神は脈々と受け継がれてきたようだ。

芽生えてきた香港との連携

二〇一四年九月下旬から、香港で選挙制度をめぐる抗議活動が続いている。この活動は、警察が発射する催涙弾を防ぐのに参加者が傘を使用したことから「雨傘運動」と呼ばれている。民主派の学生団体と香港政府の対話も行われたが、双方の主張はかみ合わない。[*1]台湾でも関心は強く、馬英九総統は辛亥革命を記念した十月十日の「双十節」の式典で、香港のトップである行政長官選に「普通選挙を求める行動」に支持を表明した。

香港は「一国二制度」によって、一九九七年の中国への返還から五〇年間、「高度な自治」を保障されている。しかし、制度の根幹に関わる問題では中国が最終的な決定権を持っており、一連の混乱はその限界を示したかたちとなった。中国は「一国二制度」による台湾との統一を掲げているだけに、台湾は対岸の火事として傍観するわけにはいかない。

今回のデモは、二〇一四年春に台湾で起きた中国との経済協定に反対する「ひまわり学生運動」を参考にしたとされる。中国は香港と台湾の学生運動が連携するのを警戒しているようだ。馬氏が香港のデモを支持したことに対して、中国国務院台湾事務弁公室の報道官が記者会見で「台湾側はあれこれ言うべきではない」と批判したのはその表れだろう。

ただ、これまで香港と台湾の民主化運動はそれほど緊密に連携してきたわけではない。台湾では「一国二制度」による統一には拒否感が強い。与野党を問わず、歴代の指導者は「台湾は第二の香港にはならない」と訴え、「一国二制度」の受け入れを否定してきた。制度の枠内で自治権を拡大しようとする香港の民主化運動と、主権独立国家の地位を確かなものにしようとする台湾の運動には、根本的な立場の違いがあったのである。

だが、最近、香港住民の意識に変化が生じている。香港大学が継続して実施している住民の「帰属意識調査」によると、[*2]ここ数年、自らを「香港人」と考える人が増え、「中国人」と考える人が減っているのだ。二〇一一年六月には「香港人」が六五・一パーセントに上り、「中国人」の三三・八パーセントを大きく上回った。この傾向は現在（二〇一四年十一月時点）も続いている。

背景には、中国政府と香港政府が進めてきた「押し付け政策」への反感がある。二〇一二年には、香港政府が小中高の教科で中国国民としての愛国心を育成する「国民教育」を義務化しようとしたが、住民から「洗脳教育だ」と猛反発を受け、撤回に追い込まれた。

二〇一四年六月には、中国政府は初めて発表した「一国二制度白書」で、「中国は香港に対し全面的な管轄統治権を持つ」と明記し、「行政長官は愛国愛港（国を愛し、香港を愛する）の人物でなければならない」と規定するなど、香港の管理を強化する姿勢を明確にした。そして、八月末、中国の全国人民代表大会（全人代）が二〇一七年の香港の次期行政長官選について、民主派の立候補を事実上排除する制度に決めたことが、デモの引き金となった。

このところ中国から大量の観光客が香港を訪れ、日用品や食品を買いあさったり、不作法な振る舞いをしたりして、香港住民の顰蹙《ひんしゅく》を買っていたという事情もある。こうしたことも、デモに多くの人びとが参加する一因となったはずだ。

香港人はビジネス中心で政治にはあまり関心がないと言われてきたが、今回は経済的損失も覚悟のうえで抗議活動を貫く決意がうかがえた。経済面では中国への依存度が高まる一方、政治・外交面では中国への不信感が強まるという状況は台湾も同じだ。香港の人びとが抱く危機感への共感が台湾でも広がっており、今後、香港と台湾が民主化運動で連携する局面が増えていくだろう。

(＊1)「雨傘運動」は二〇一四年九月二十八日から始まり、幹線道路を占拠するなどの抗議活動が続けられたが、十二月十五日に警察が強制排除した。計七九日間にわたる抗議活動で、逮捕者は九五五人、出頭者は七五人に上った。

(＊2)香港大学の民意研究計画が実施してきた世論調査は、二〇一九年から香港民意研究所が引き継いで行っている。

高まる「一国二制度」への反発

長期化する香港のデモに呼応して、台湾でも連帯ムードが高まっている。二〇一九年八月下旬に取材で台湾を訪れた際、各界の識者と意見交換すると、誰もが香港情勢を切実に受け止めていた。台湾の人びとにとって、中国との関係を考え直すきっかけになっているようだ。

刑事事件の容疑者を中国に引き渡せるようにする「逃亡犯条例」改正案に反対する香港のデモは六月から始まり、香港政府が改正案を事実上廃案にする意向を示したにもかかわらず、収束する兆しはない。八月中旬には、若者らが香港国際空港のロビーを占拠して多数の便が欠航するなど、経済活動にも支障が出ている。

日本のメディアも香港のデモを大きく伝えているが、台湾のメディアはもっと手厚く報じている。

たとえば、約一七〇万人（主催者発表）が参加した八月十八日のデモについて、『蘋果日報』は一面から五面までこのニュースで埋め尽くすといった具合だ。各テレビ局も現場からの中継にしのぎを削っている。

台北市の台湾大学前の地下道では、訪れた人が壁に香港への思いを書き込んだメモ用紙を貼っていく「レノンの壁」と呼ばれる取り組みが進められている。「レノンの壁」は一九八〇年代の共産主義体制下の東欧チェコスロバキアで、若者たちがビートルズのメンバーだったジョン・レノンの死を悼んでメッセージを壁に記したのが発祥で、自由を求め、圧政に抵抗する象徴とされている。

地下道を訪れると、「香港頑張れ」「今日の香港は明日の台湾」などと書かれたメモ用紙が壁一面に貼られ、数人のグループが香港を支援する歌を歌っていた。香港では、「レノンの壁」の現場で暴力事件が発生しているため、地下道の周辺にはパトカーが停車し、警戒に当たっていた。

こうした動きは、香港で実施されている「一国二制度」への反発が原動力となっている。中国の習近平国家主席は一月、「一国二制度」によって平和統一する台湾政策を公表した。台湾の実情に合わせた方式を模索するとしているものの、香港の現状を目の当たりにしている台湾の世論が「一国二制度」を受け入れる余地はない。

台湾の人びとの心を動かしているのは、将来への不安だけではない。警察がデモを高圧的に取り締まる様子は、かつての台湾の民主化運動のシーンを思い起こさせる。民主化運動を支援してきた人たちは、「昨日の台湾は今日の香港」との思いでエールを送っているのだ。

長年にわたり、写真家として台湾の民主化運動の現場を取材してきた邱萬興《きゅうまんこう》氏は、私のインタビューで「香港のデモ参加者は警察の催涙弾発射にも負けず、勇敢に戦っている。死をも恐れない革命の

香港への思いを書き込んだメモ用紙を一面に貼った「レノンの壁」（2019 年 8 月 18 日、台北市）

ようで、とても感動している」と語った。

二〇一四年に香港で民主的な選挙を求める「雨傘運動」が起きて以来、台湾との連携は強まっており、蔡英文総統は香港でデモに参加して一時的に台湾に避難してくる人たちに対しては「人道主義に基づき、適切に処理する」との方針を表明している。

香港から台湾への移民希望者も増え、台湾当局の発表によると、二〇一九年一～七月に長期在留資格を得た香港人は一八三五人で、前年同期より約三〇パーセント増、定住資格を得たのは七五九人で同約二〇パーセント増となっている（『毎日新聞』二〇一九年八月二十四日朝刊）。

今後、香港のデモがどう展開していくか不透明だが、中国軍の指揮下にある人民武装警察部隊の介入などがあれば、台湾の人びとの反中意識がさらに高まるのは避けられない。(＊1)

（＊1）中国は二〇二〇年六月、全人代で可決・成立させた「香港国家安全維持法」を施行、「国家分裂」や「中央政府転覆」などを犯罪行為と規定し、デモを封じ込めた。

2　食品安全に敏感な住民

受け入れない日本産食品

台湾が二〇一五年五月十五日から日本産食品の輸入規制を強化し、日台間に摩擦が生じた。日本政府は「科学的根拠がない」と撤回を迫り、林芳正農相は世界貿易機関（ＷＴＯ）への提訴も検討する考えを表明した。馬英九総統はその後、規制強化のきっかけとなった日本産食品の産地偽装表示事件の原因究明と再発防止策が講じられたら解除すると一定の譲歩を示したが、厳しい姿勢を取る背景には、台湾住民の食の安全や反原発意識が高まってきた現状がある。

二〇一一年三月の東日本大震災に伴う東京電力福島第一原発事故を受け、台湾は福島、茨城、群馬、栃木、千葉の五県からの食品輸入を禁止した。それに加え今回、残る四二都道府県から輸出される全食品に産地証明書の添付を義務づけ、東京都や静岡県など特定の都道府県の水産品や茶類など一部食品には放射性物質の検査証明書も求めた。

日本産食品の産地偽装表示事件は二〇一五年三月に発覚した。流通業者が日本語の原産地と異なる中国語のラベルを貼るなどしていたもので、台湾の食品薬物管理署は輸入を禁じている五県産の食品が見つかったとして、店頭から撤去するよう通達した。

台湾では二〇一三年以降、タピオカなどに使うでんぷんに工業原料を混ぜたり、パンの成分を偽ったりするなど、食の安全を脅かす事件が相次いでいる。

二〇一四年九月には、南部・高雄市の食用油メーカーが廃油を原料にした違法な食用ラード（豚脂）を製造、大手食品メーカーがこれを使って肉まんやギョーザなどを製造・販売していたことが明らかになった。食品薬物管理署が関連商品を回収し、検察当局は食用油メーカーの経営者を詐欺や食品安全衛生管理法違反の疑いで摘発するなど、大きな社会問題となった。

こうした出来事を通じ、住民は食の安全に敏感になった。廃油ラード事件では、工場近隣の住民が「悪臭がする」と五度も通報したのに、高雄市政府は不正を見抜けなかった。馬政権は、この対応のまずさが二〇一四年十一月の統一地方選で国民党が大敗した一因となったとみており、今回、あえて日本産食品の規制強化に踏み切ったようだ。

さらに、台湾では以前から反原発意識が浸透している点も影響している。最大野党・民進党は党綱領に「原発の新設反対を堅持し、一定期間内に既存原発も閉鎖する」と明記し、反原発を党是にしている。民進党初の陳水扁政権は二〇〇〇年十月、工事が進んでいた第四原発の建設中止を命じ、国民党が主導する立法院と激しく対立した。

結局、陳政権は決定を翻し、工事は続行されたものの、その後も民進党支持者を中心に反対運動が続き、福島第一原発事故後は国民党支持者のあいだでも広がりを見せている。二〇一四年四月には、台北市中心部で大規模なデモが行われ、馬政権は第四原発の建設を凍結し、再開するかどうかは住民投票で決める方針を発表した。

馬政権はこのような住民の意識を反映するかたちで日本産食品の輸入規制を強化したのだが、民進党も食の安全や反原発を重視する姿勢を打ち出しており、反対を唱える気配はない。住民の多くも、妥当な措置と受け止めている。

日本から台湾への農林水産物の輸出額は八三七億円（二〇一四年）に上り、香港、米国に次ぐ多さだ。台湾で日本食ブームは根づいており、日本産食品に対するニーズは大きい。日本は台湾の事情を理解したうえで、粘り強く規制解除を働きかけていくべきだろう。

米国産牛肉・豚肉の輸入を解禁

台湾の蔡英文政権が米国産牛肉・豚肉の輸入解禁を打ち出したことに波紋が広がっている。健康面の不安を感じる住民が多く、蔡総統の支持率も急落した。蔡政権は米国との関係強化のためにも決定は変えない姿勢だが、野党・国民党は全力で阻止する構えで、攻防は激しさを増している。

ＢＳＥ（牛海綿状脳症）発生を受け、台湾は二〇〇三年、米国産牛肉の輸入を禁止した。その後、生後三〇カ月以下の牛肉は一部解禁したものの、三〇カ月以上は禁じてきた。豚肉も成長促進剤ラクトパミンが残留するものは輸入を認めていない。

米国は台湾の措置は科学的根拠に乏しいと反論し、長年にわたって米台間で論争が続いてきた。そうしたなか、蔡政権は二〇二〇年八月二十八日、緊急記者会見を開き、二〇二一年一月から米国産牛肉・豚肉の輸入をほぼ全面的に解禁すると宣言した。牛肉は月齢制限を撤廃し、豚肉もラクトパミンの残留基準を設け、大幅に認める。その理由として、国際的な食品規格（コーデックス）委員会の基準に照らして問題がないとの結論に至ったと説明した。

この措置に対し、とくに日常食となっている豚肉について、住民のあいだで懸念が強まっている。ＴＶＢＳが九月三日に公表した世論調査によると、ラクトパミンを含む米国産豚肉の輸入解禁への反対は六四パーセントに達し、賛成は二三パーセントにとどまった。新型コロナウイルス対策で評価を上げ、五月には六一パーセントと二〇二〇年最高を記録していた蔡氏の支持率も四八パーセントに低下した。

ここ数年、台湾では食品の信頼を揺るがす事件が相次いだ。住民は食の安全に敏感になり、二〇一八年の統一地方選と同時に行われた住民投票では、福島県など日本の五県産食品の輸入禁止を継続する案が賛成多数で成立している。

さらに、国民党の馬英九政権が米国産牛肉の輸入制限を緩和しようとした際、当時野党だった民進党が反対していたことが、「ダブルスタンダード（二重基準）」との批判を招いている。

馬政権は二〇〇九年、生後三〇カ月以下の米国産牛肉のうち、従来から輸入を認めてきた骨なし牛肉に加え、回腸など特定危険部位を除くすべての部位の輸入解禁を決めた。民進党は台北市と高雄市でデモを行い、「人びとの健康を保障せよ」と訴えて米国との再交渉を要求するなど、大規模な抗議活動を繰り広げた。

この問題は国民党内でも反対論が続出し、立法院は米国産牛肉の輸入制限をふたたび強化する法改正案を与野党共闘で可決した。これで馬政権の輸入制限緩和策は頓挫し、馬総統の人気も陰りを見せるようになった。

民進党寄りとされる『美麗島電子報』が九月二十八日に発表した世論調査でも、今回の蔡政権の決定について、民進党の野党時代と与党になってからのスタンスが「相矛盾している」と答えた人は六〇・六パーセントに上り、「変化はない」の一九・七パーセントを大きく上回った。総統選での大敗や住民投票による韓国瑜・高雄市長の解職成立など、二〇二〇年に入って守勢一方だった国民党にとって、久しぶりに攻めの材料を手にしたかたちで、賛否を問う住民投票などを求めていく方針だ。

　蔡政権は米国産牛肉・豚肉輸入解禁を機に、米国と自由貿易協定（ＦＴＡ）交渉をスタートさせ、米台関係をいっそう緊密化することをねらっている。食の安全という絶対に譲れないテーマで住民の不安を払拭することができるか、蔡氏の手腕が問われている。

福島など五県産の食品規制を解除

台湾の蔡英文政権は二〇二二年二月二十一日、二〇一一年の東京電力福島第一原発事故の後、約一一年間にわたって福島など日本の五県産の食品輸入を禁止していた措置を、大半の品目で解除した。これで日台間に突き刺さっていたとげが抜かれ、蔡政権は環太平洋連携協定（ＴＰＰ）加盟の弾みとしたい意向だが、世論調査ではなお反対の声が強く、政治的リスクを背負うことにもなった。

　解禁したのは、放射能汚染のリスクがあるとして輸入を禁止していた福島、茨城、栃木、群馬、千葉県産の食品。ただし、キノコ類や野生の鳥獣肉、山菜のコシアブラは引き続き規制の対象となる。輸入には放射性物質の検査報告書の提出を義務づける。

　蔡政権が熱望するＴＰＰ加盟をめぐっては、中国が二〇二一年九月に申請し、台湾が追随した経緯がある。産地を指定してすべての食品を禁輸する厳しい措置を続けているのは世界で中国と台湾だけで、ＴＰＰメンバー国はいずれも五県産食品の輸入を許可している。先に中国のＴＰＰ加盟が認められると、台湾の参加は絶望的になるだけに、先手を打ったかたちだ。

　鄧振中《とうしんちゅう》行政院政務委員（無任所閣僚）は会見で、「これで台湾は国際基準に従って貿易を行うことが証明されることになり、ＴＰＰ加盟に大きな助けとなるだろう」と期待感を示した（台湾『中央通信』二〇二二年二月八日）。

日本にとって台湾は第四位の農林水産物・食品輸出先（二〇二一年）で、日本政府も蔡政権に解禁を強く求めていた。それだけに、松野博一官房長官は「被災地の復興を後押しするものだ。日台の経済・友好関係がさらに深まることを望む」と、日台間の最大の懸案を解決した決断に歓迎の意を表明した。

一方、二月の会見直後にＴＶＢＳが実施した世論調査では、解禁に反対四五パーセント、賛成四四パーセントと賛否は拮抗している。最大野党・国民党は強く反発しており、十一月に予定される統一地方選に向け、二〇二一年一月に輸入を解禁した米国産牛肉・豚肉と併せ、反対運動を盛り上げていく構えだ。

今回、五県産の食品輸入解禁に至った流れを振り返ると、台湾住民が徐々に国際基準を受け入れていった様子がうかがえる。台湾ではこの一〇年近く、食品業者がでんぷんに工業原料を混ぜたり、廃油を使って食用ラードを製造したりしたほか、日本産食品の産地偽装事件も起き、大きな社会問題になった。

そうした影響もあって、住民は食の安全に敏感になった。二〇一八年には、福島など五県産の食品輸入禁止継続の是非を問う住民投票が行われ、賛成多数で成立した。住民投票で可決すると、政府は少なくとも二年間、結果と異なる政策を実施できない。

潮目が変わったのは、二〇二一年十二月に実施された住民投票だ。成長促進剤ラクトパミンを使った米国産豚肉の輸入禁止を求める提案が、反対多数で否決された。米国産豚肉に含まれるラクトパミンは国際的な基準値以下で、米国との関係悪化を懸念する政府と与党・民進党は大々的なキャンペーンを繰り広げ、住民の説得に当たった。

二〇一六年のTVBSの世論調査では、五県産の食品輸入解禁反対は七三パーセントに上り、賛成一三パーセントを大きく上回っていた。二〇二二年二月の世論調査ではほぼ同数となり、住民の意識が大きく変化したことが見て取れる。政府・与党の説明が、住民に一定程度理解された結果だろう。

とはいえ、まだ二人に一人は輸入解禁に反対している状況だ。今後、食の安全を脅かす新たな事件が起こったり、TPP加盟のめどが立たなくなったりすると、蔡政権への失望が高まる恐れもある。

3　脱中国化が進む文化

割れる抗日戦勝利の評価

お笑い芸人、又吉直樹さんの芥川賞受賞フィーバーの陰に隠れてしまったが、台湾籍の東山彰良（本名・王震緒《おうしんしょ》）氏の直木賞受賞はもっと注目を集めていい快挙だろう。台湾出身者として邱永漢《きゅうえいかん》、陳《ちん》舜臣《しゅんしん》の偉大な先輩に続く直木賞作家となっただけでなく、受賞作『流』は抗日戦争、国共内戦という台湾社会が今も引きずる重い歴史をテーマにした作品だからだ。

東山氏は台北市で生まれ、父親が日本の大学の教員になったため、九歳のとき、家族で福岡に移った。大学卒業後、航空会社に就職したものの、一年で退職し、西南学院大学修士課程を経て、中国の吉林大学博士課程に進む。だが、論文を三度も却下され、現実から逃避するために小説を書き始めたという。ペンネームの名字は父親の生まれた中国の山東省に、名前は母親の故郷であり、かつて自身も過ごした台湾の彰化にちなんでつけた。

『流』は一九七〇年代から八〇年代にかけての台湾が舞台で、主人公の葉秋生《ようしゅうせい》は高校時代、殺された祖父の遺体を見つける。殺人事件を縦軸にして葉の奔放な青春を描き、やがて事件は抗日戦争、国共内戦につながっていく。直木賞選考委員の北方謙三氏が「歴史的受賞作にもなり得る」と絶賛した完成度の高いミステリーだが、台湾の歴史に詳しければ、より味わい深く読めるだろう。

葉は東山氏の父親がモデルだ。国共内戦に敗れた国民党政権とともに台湾にやって来た外省人である。外省人と、戦前から台湾に住む本省人を決定的に隔てるのは、外省人が中国で抗日戦争を経験しているのに対して、台湾が日本統治下にあった戦時中、本省人は日本人として戦争に参加したことだ。

最近、その違いが顕在化する出来事があった。馬英九政権は抗日戦争勝利七〇周年を記念して、二〇一五年七月四日に大規模な軍事パレードを行ったのをはじめ、写真展や記念切手の発売など各種行事を相次いで実施した。

これについて、時事討論番組の司会者が番組で「父は当時、日本人だった。抗日戦争勝利七〇周年を祝うことを父がどう思うか」と疑問を呈するなど、本省人から不快感や違和感を訴える声が上がった。

一方、一部の外省人は、軍事パレードで飛行させる現役の戦闘機に、抗日戦争で国民党軍などが撃墜した日本機の数だけ日の丸のマークをペイントしていたのが、日本側からのクレームで消されたことに「抗日色が弱すぎる」と反発した。背負う歴史によって、抗日戦争に対する見方が一八〇度異なるのだ。

『流』にも、こんな場面が出てくる。本省人の老人が葉に「あなたたちは外省人でしょう? そして、あなたのおじいさんはおそらく大陸で抗日戦争を戦ったはずです」と切り出し、「彼の目には、日本統治時代を懐かしむわたしたちのような者は、奴隷根性に骨の髄まで冒された裏切者に映るんでしょう」と話しかけるのである。

台湾では長く、外省人が特権的な地位に就き、少数派の外省人が多数派の本省人を支配する構図が続いた。両者の対立は時代とともに薄れてきたが、何かのきっかけで噴き出すことがある。

だが、それも含めて台湾の歴史だ。東山氏は抗日戦士だった祖父を題材にした小説を執筆する予定だといい、「いまから取材しないと、祖父のことを知る人がいなくなってしまいますから」（『ＦＲＩＤＡＹ』二〇一五年八月七日号）と語っている。次はどんな物語に仕上げるのか、刊行が待ち遠しい。(*1)

（*1）東山氏はその後も、『僕が殺した人と僕を殺した人』（二〇一七年、文藝春秋）など、一九七〇年代から八〇年代にかけての台湾や外省人をテーマにした小説を発表している。

政治に翻弄されてきた「故宮南院」

台北市にある故宮博物院が初の分院として台湾南部の嘉義県太保市に建設中の「故宮南院」が二〇一五年末に仮オープンすることになり、九月中旬、メディアに公開された。アジアの美術品を中心に展示するのが特徴で、二〇一六年七月に本格開業の予定だ。もともと民進党の陳水扁政権が計画したもので、二〇〇一年に構想が発表されて以来、政治の波にもまれてきた。

「故宮南院」は二〇〇五年に工事が始まり、当初は二〇〇八年の開館をめざしていたが、度重なる計画変更によって大幅に遅れた。私が二〇〇七年に建設予定地を訪れたときはまだ仮の建物しか建っておらず、周囲には空き地が広がり、もとはサトウキビ畑だったという約七〇ヘクタールもの土地の広さばかりが目についた。

民進党は「一つの中国」原則を認めず、台湾と中国は別との立場だ。二〇〇〇年に史上初の政権交代で発足した陳政権は、台湾を中国から切り離す「脱中国化」政策に力を入れた。歴史教科書で「中国史」に含まれていた「台湾史」を独立させたり、「中国」や「中華」が付いた公営企業の名称を「台湾」に変えたりするなどさまざまな手を打ったが、中華文明の象徴である台北故宮の改革にも挑んだ。

というのも、台北故宮には、国共内戦に敗れた国民党政権が台湾に移転する際、北京の故宮博物院から運び出した中国の歴代王朝の宝物が収蔵されており、国民党はこれこそ「中国の正統政府」の証しだと主張していたからだ。陳政権は故宮の「脱中華」を進めることで、住民の心に根づく中国の歴史や伝統の呪縛を解こうとしたのである。

そのために、台北故宮にあった孫文や蒋介石の銅像や肖像画など国民党に関わるものを次々と撤去していったりしたが、切り札が「故宮南院」の新設だった。「故宮南院」を「アジア文化の拠点」と位置づけ、台北故宮に並ぶ世界的な博物館にすることで、「台湾はアジアの一員であって、中国の一部ではない」とアピールするのが狙いだった。建設地も民進党の地盤である南部を選んだ。

こうした陳政権のやり方に、国民党は強く反発した。「故宮南院」は台北故宮が所蔵するアジアの美術品を移すほか、新たにアジアの文物を購入しようとしたが、立法院は国民党をはじめとする野党が多数を占めており、関連予算案を否決するなどして抵抗した。

二〇〇八年に国民党が政権を奪還し、馬英九政権がスタートすると、「故宮南院」の行方は混迷の度を深める。台北故宮の文物移転は中止になり、二〇〇九年には、台北故宮の周功鑫《しゅうこうきん》院長（当時）が「故宮南院」のメーンテーマに「花」を加える方針を表明した。これで「アジア」を前面に打ち出したイメージは曖昧になった。

私は二〇一一年五月、周氏と会見する機会があった。「故宮南院」について問うと、「日本や韓国、東南アジア、インドなどアジア各国の文化の特色を取り入れた庭園を造成し、新しい観光の目玉施設にしたい」と力説した。集客力を高めるため、テーマパークの機能も持たせるのだという。

「アジアが主題」という「故宮南院」のコンセプトは何とか引き継がれたものの、「台北故宮並みのアジア文化博物館を造り、全体として故宮の中華色を薄める」という民進党の狙いは封じられたかたちとなった。だが、二〇一六年一月に行われる総統選では民進党が優位に立っており、政権交代が現実味を帯びている。「故宮南院」はこの先も、政治に翻弄《ほんろう》されていくのだろうか。（＊1）


（＊1）「故宮南院」は二〇一五年十二月にオープンした。

拒否された広辞苑修正の申し入れ

一〇年ぶりに改訂された国語辞典・広辞苑第七版で、「ＬＧＢＴ」（性的少数者）と「しまなみ海道」の記述に疑義を唱える声が上がり、発行元の岩波書店は二〇一八年一月二十五日、ホームページで訂正とおわびを公表した。広辞苑第七版をめぐっては、台湾に関する表記に誤りがあるとして、一月十二日の発売前に台湾側が修正を申し入れたものの、拒否される出来事もあった。

台湾側が問題視したのは、中華人民共和国の項目の行政区分を示す地図で台湾を「台湾省」として記載していることや、一九七二年に調印された日中共同声明の記述が「日本は中華人民共和国を唯一の正統政府と認め、台湾がこれに帰属することを実質的に認め」となっている点などだ。台湾の駐日大使館に相当する台北駐日経済文化代表処は二〇一七年十二月、「事実と異なる内容が見受けられる」

として修正を求めた。

日中共同声明は「台湾は中華人民共和国の領土の不可分の一部」という中国の立場について、日本は「十分理解し、尊重し」との表現にとどめ、「認める」や「承認する」という言葉は使っていない。そこに至るまでには、日中の国益を懸けた熾烈な交渉があった。その結果、双方が独自に解釈できる余地を残した表現を用いることで決着したことが、外交資料や関係者の証言などから明らかになっている。

一方、記者会見でこの問題について問われた中国外務省の華春瑩報道官は「台湾が中華人民共和国の一つの省ではないとでもいうのか。台湾は中華人民共和国の不可分の一部だ」（『産経新聞』電子版、二〇一七年十二月十八日）と岩波書店を擁護し、広辞苑を舞台に中台の主張がぶつかり合う構図となった。

岩波書店は二〇一七年暮れ、ホームページで「記述を誤りとは考えていない」との見解を公表し、「日本は中華人民共和国が台湾をその領土の一部とする立場を『十分理解し、尊重』するとし、（中略）現在の日台関係は、非政府間の実務関係となっています。このような状況を項目の記述として『実質的に認め』たと表現しているものです」と説明している。

また、「台湾省」の地図については、『中華人民共和国』の項目に付した地図であり、同国が示している行政区分を記載したものです」とし、修正には応じない考えを示した。

ところで、私の手元にある広辞苑第六版第一刷では、日中共同声明の項目で「日本は（中略）台湾がこれ（中華人民共和国）に帰属することを承認し」となっている。第六版第一刷の「承認し」が、後続の刷りで「実質的に認め」に修正されたのである。

これについて、「日本李登輝友の会」はホームページで、第六版第一刷の記述に対し、同会会員が二〇〇八年二月、岩波書店に修正を要請したところ、「刷りを改める機会があり次第、訂正する」との回答があったことを紹介している。台湾に関する記述で、外部から指摘を受けて修正した前例はあるのだ。

台湾をめぐって外交戦が繰り広げられたのは日中共同声明だけではない。一九七九年一月の米中国交樹立を前に発表されたコミュニケでは、「中国はただ一つであり、台湾は中国の一部であるという中国の立場を米国は認識する（acknowledge）」と記され、外交の世界ではより強い意味となる「承認する（recognize）」という用語を避けている。ここでも激しい応酬があった。台湾問題はそれほど複雑でデリケートなのである。

今回、岩波書店は中台の板挟みになったかたちだが、広辞苑は日本の代表的な辞典として知られ、その影響力はきわめて大きい。正確さが命の辞典という性格からして、台湾問題のようなテーマでは、念には念を入れて練り上げた記述が求められるのは言うまでもないだろう。

「台湾」として参加した東京五輪

二〇二一年七月二十三日から八月八日まで十七日間にわたって繰り広げられた東京オリンピックで、台湾代表チームは過去最多となる一二個のメダル（金二、銀四、銅六）を獲得した。蔡英文総統や頼清徳副総統は連日のようにＳＮＳ（交流サイト）で快挙をたたえ、台湾はメダルラッシュにわいた。一方で、台湾代表チームの名称問題が関心を呼ぶなど、国際社会における台湾の立場があらためてクローズアップされた大会でもあった。

台湾は女子重量挙げ五九キロ級とバドミントン男子ダブルスの二種目で金メダルを勝ち取ったほか、バドミントン女子シングルス、アーチェリー男子団体、体操男子種目別鞍馬《あんば》、柔道男子六〇キロ級の四種目で銀メダル、ボクシング女子フライ級、テコンドー女子五七キロ級、空手女子組手五五キロ級、重量挙げ女子六四キロ級、ゴルフ男子、卓球混合ダブルスの六種目で銅メダルに輝いた。

今大会の成績は、これまで最多だった二〇〇〇年シドニー五輪（金〇、銀一、銅四）と二〇〇四年のアテネ五輪（金二、銀二、銅一）のメダル数五個を大きく上回った。バドミントン、体操、柔道、ゴルフ、ボクシング、空手では初のメダルとなり、有望競技の幅も広がった。

このような代表チームの活躍に、八月四日に「凱旋帰還」したバドミントンの選手らが乗った旅客機を、台湾空軍のミラージュ戦闘機四機が防空識別圏に入ってから伴走飛行して迎えるなど破格の歓迎ぶりで、台湾は祝賀ムードに包まれた。メダリストには政府から、金二〇〇〇万台湾ドル（約七八〇〇万円）、銀七〇〇万台湾ドル、銅五〇〇万台湾ドルの報奨金が支給される。

オリンピックの大舞台で好結果を出せたのは、蔡政権が進めてきた強化策が結実した面が大きい。蔡政権は発足した二〇一六年には八〇億台湾ドルだったスポーツ関連予算を、二〇二一年には一三四億台湾ドルと約一・七倍に増やし、とくに若手選手の育成に力を入れてきた。ナショナル・トレーニングセンターの予算も二〇一六年の五億四〇〇〇万台湾ドルから二〇二一年には一四億七〇〇〇万台湾ドルと三倍近くに拡大し、練習環境を大幅に向上させた。コーチの待遇改善や引退した選手の就職斡旋などにも取り組んできた。

また、今大会は、台湾が「チャイニーズ・タイペイ（中華台北）」の名称で参加していることも話題になった。この名称は、一九七九年に中国が国際オリンピック委員会（ＩＯＣ）に復帰したのに伴い、台湾が一九八一年にＩＯＣとの協議で受け入れ、一九八四年のロサンゼルス五輪から使用してきたが、台湾住民のあいだでは不満も高まっていた（＊1）。

東京五輪開会式の中継で、ＮＨＫのアナウンサーが台湾選手団を「中華台北」ではなく「台湾です」と紹介したことが大きく報道され、台湾では「ようやく自分の名前で呼んでもらえた」などと反響を呼んだ。

さらに、バドミントン男子ダブルスで優勝した李洋《りよう》選手と王齊麟《おうさいりん》選手がフェイスブックに「私は台湾の出身だ」「私は台湾の選手だ」などと書き込んだことで、議論が盛り上がった。ＳＮＳには「中華台北はもういらない」「台湾の名でオリンピックに参加しよう」などの投稿が相次いだ。

ただ、「台湾」名義での東京五輪参加は二〇一八年に行われた住民投票のテーマとなったが、反対多数で否決されている。この際も、中国の反発に配慮したＩＯＣは「呼称変更は認めない」と繰り返し警告しており、今後も実現の可能性は低い。

だが、選手の頑張りに後押しされ、台湾代表チームの呼称問題がかつてないほど注目を集めたことは、台湾の主体性を重視する蔡政権には思わぬ追い風となった。

（＊1）第2章1「ＡＩＩＢ参加で再燃する名称問題」参照。

あとがき

台湾は今、日本にとってもっとも身近な外国の一つになっている。職場や学校、あるいは近所で、仕事や留学などで来日した台湾人に接したことのある人も多いだろう。新型コロナウイルス感染が拡大する前の二〇一九年には、年間五〇〇万人近い台湾人が観光やビジネスで日本を訪れ、台湾を訪問する日本人も二〇〇万人を超えた。近年、台湾は日本の学校の修学旅行先としても人気がある。

そのように日台の距離は縮まり、日本人の台湾に対する関心は高まってきた。インターネットの発達もあって、台湾に関する情報も以前に比べ格段に入手しやすくなった。もう三〇年近く台湾を取材・研究対象としてきたウォッチャーとしては、大いに歓迎すべき環境になってきた。

だが、そんな時代だからこそ、台湾を取材・研究するに当たって、いつも心がけていることがある。

一つは、目先の台湾の動きを追うだけでなく、視野を広げて台湾を取り巻く全体状況にも目配りするということである（これは台湾に限らず、どの国・地域についても当てはまる基本動作だろうが）。

台湾をウォッチするには、まず中国が何を考え、どのような出方をするのかを見極めなければならない。そのためには、中国の政治や経済事情などについて現状を把握しておかなければならないのは当然である。米国や日本に関しても同じことが言える。最近は、欧州の動向もいっそう重要になってきた。台湾が外交関係を持つ中南米・カリブ海諸島や太平洋諸島、アフリカの国々や地域の動静も目が離せない。

そんな作業を積み重ねていくと、沖縄の南西に陣取る島の情勢をフォローするのに、いつも世界地図を広げる習慣が身に着くものだ。

足を踏み入れる領域も政治、外交、経済、軍事など幅広く、映画や小説、飲食など文化や社会現象まで、あらゆる事象にアンテナを張っておかなければならない。ジャーナリストとして多様なニュースを扱うからだけではなく、それぞれの分野が互いに関連し合い、影響し合うので、いろんな角度から物事を見ることが重要になってくるからだ。

すべてのテーマに精通することはできないにしても、基礎的な知識は求められる。そんな風に、あれもこれもと手を伸ばしているうちに、押さえておかなければならない範囲はどんどん広がっていく。骨の折れる取り組みではあるが、実はそれが台湾を取材・研究する楽しみでもあるのだ。「台湾を知れば、世界がわかる」。勝手にそんなキャッチフレーズをつぶやいては、自分で自分にハッパをかけている。

もう一つ、台湾ウォッチャーとして心に刻んでおかなければならないのは、台湾の人に話を聞いたり、発言を引用したりする際、相手がどんな立場にあるかを見極める必要があるということである。

民主化が定着した台湾では、キーパーソンにインタビューしたり、メディアで語った内容を拾い集めたりすることは難しくない。それらがあれば、分析や解説に厚みが増す。ただし、台湾人はその立ち位置によって、見解が大きく異なることが少なくない。とくに、政治的な問題では、正反対の考えが示されることがよくある。台湾は多文化社会であり、二大政党が激しくぶつかり合う分断社会でもあるという現実を忘れてはならない。メディアなどで責任ある言論を行うなら、台湾人の意見を根拠や参考にするにしても、その人がよって立つ基盤や背景に気を配るべきだ。

現在は民進党が与党なので、同党の主張がメディアで取り上げられやすいのは無理のないことではある。とはいえ、民進党は大勝と言われた二〇二〇年の総統選でも、得票率は五七・一三パーセントで六割に届かず、野党の国民党と親民党を合わせた得票率は四二・八七パーセントと四割を超えた。同時に行われた立法委員選の比例区の得票率は、民進党三三・九八パーセント、国民党三三・三六パーセントと拮抗した。さらに、二〇二二年十一月の統一地方選で、国民党の総得票率が民進党を上回った結果を踏まえると、民進党と国民党の支持勢力はほぼ互角とみていい。

米国で親トランプ派と反トランプ派では言い分が一八〇度違ってくるように、台湾でもどちらか一方に偏った声を「これが台湾の民意」と決めつけるのは危険なのである。私自身も含め、台湾に関する報道や評論に携わるジャーナリストや研究者にとって、これは常に自戒しなければならない点だろう。

本書のもとになった連載記事も、そのような要点を肝に銘じながら取材・執筆してきたつもりだったが、読み返してみると、狭量な見方をしたり、時流に流された評価をしたりしてしまったと自省する部分もある。もっと台湾を見る目を研ぎ澄まさなければならないと痛感する。

台湾は今日も未来に向かって歩みを進めている。二〇二四年には台湾の方向性を決める総統選が控える。私は二〇二二年三月に勤務していた大学を定年退職し、以後は一ジャーナリストとして活動しているが、これからも自問自答を繰り返しながら、激変する台湾の真の姿に迫っていきたいと思っている。

ジャーナリストとして世間に発信していくには、取材の成果を発表する場がなくてはならない。その舞台を与えてくれたのが一般財団法人「台湾協会」である。その機関紙『台湾協会報』に長年連載する機会を与えていただいたことは、台湾と向き合う者として、身に余るほど光栄なことである。

とりわけ、私が二〇一四年に連載を始めて以来の歴代理事長である根井洌氏、故森田高光氏、小椋和平氏、清水一也氏、そして編集担当として原稿をチェックしていただいた河原功氏、株木博氏、八田修一氏、森美根子氏に謝意を表したい。みなさんの理解と励ましがなければ、連載がこれほど長期にわたることもなかっただろうし、本書が誕生することもなかっただろう。毎回の原稿執筆に当たっては、資料収集などで台湾の劉《りゅう》汝《じょ》眞《しん》氏に大変お世話になった。あらためてお礼を述べる。

本書は発表済みの原稿をまとめて書籍化するという私にとっては初めての試みだったが、白水社編集部の阿部唯史氏の豊富な経験に基づく鋭い洞察と的確なアドバイスのおかげで、納得のいく一冊に仕上げることができた。心から感謝申し上げたい。

二〇二三年七月

近藤伸二

先住民に過去を謝罪	『台湾協会報』2017年9月号
「移行期の正義」条例案を可決	『台湾協会報』2018年1月号
「暗黒の歴史」を伝える人権博物館	『台湾協会報』2018年9月号

第5章　世界のものづくりを支える経済

「半導体の父」の警告	『台湾協会報』2014年9月号
サプライチェーンに不可欠な存在	『台湾協会報』2021年3月号
TSMCが熊本県に工場建設	『台湾協会報』2021年11月号
半導体が輸出増を牽引	『台湾協会報』2022年2月号
エイサーの栄光と挫折	『台湾協会報』2014年6月号
脱アップル依存を急ぐ鴻海	『台湾協会報』2015年7月号
シャープ買収で見せた執念	『台湾協会報』2016年3月号
iPhone 特需にわく	『台湾協会報』2017年12月号
ファーウェイ禁輸の直撃を受ける	『台湾協会報』2019年6月号
先行する韓国に対抗	『台湾協会報』2014年12月号
米中貿易戦争の先行きに募る不安	『台湾協会報』2018年8月号
加速する製造業の回帰	『台湾協会報』2019年11月号
実現に踏み出す米台FTA	『台湾協会報』2020年10月号
自転車ブームの仕掛け人	『台湾協会報』2014年8月号
新幹線の経営危機	『台湾協会報』2015年2月号
問われる「漁業大国」としての責任	『台湾協会報』2017年8月号

第6章　自己主張強める社会

学生が立ち上がった「ひまわり学生運動」	『台湾協会報』2014年5月号
芽生えてきた香港との連携	『台湾協会報』2014年11月号
高まる「一国二制度」への反発	『台湾協会報』2019年9月号
受け入れない日本産食品	『台湾協会報』2015年6月号
米国産牛肉・豚肉の輸入を解禁	『台湾協会報』2020年11月号
福島など五県産の食品規制を解除	『台湾協会報』2022年3月号
割れる抗日戦勝利の評価	『台湾協会報』2015年8月号
政治に翻弄されてきた「故宮南院」	『台湾協会報』2015年10月号
拒否された広辞苑修正の申し入れ	『台湾協会報』2018年2月号
「台湾」として参加した東京五輪	『台湾協会報』2021年9月号

バイデン大統領が軍事関与を明言	『台湾協会報』2022年6月号
ペロシ氏訪台で緊張が高止まり	『台湾協会報』2022年9月号

第3章　孤立打破に挑む外交

「トランプ旋風」が巻き起こす波紋	『台湾協会報』2016年5月号
米上院が「台湾旅行法」案可決	『台湾協会報』2018年3月号
安全保障支える「台湾関係法」	『台湾協会報』2019年3月号
バイデン氏も親台湾路線継続	『台湾協会報』2020年12月号
米国が「台湾代表処」への名称変更許可を検討	『台湾協会報』2021年10月号
日本統治時代がブームに	『台湾協会報』2014年2月号
災害で差し伸べ合う支援の手	『台湾協会報』2015年3月号
正常化が進む日台関係	『台湾協会報』2017年5月号
副総統が安倍元首相の葬儀に参列	『台湾協会報』2022年8月号
南シナ海で主張する領有権	『台湾協会報』2016年1月号
仲裁裁判所判決の衝撃	『台湾協会報』2016年8月号
狭まる活動空間	『台湾協会報』2018年6月号
揺らぐバチカンとの関係	『台湾協会報』2018年10月号
香港とは断絶の危機	『台湾協会報』2021年8月号
急速に縮まる欧州との距離	『台湾協会報』2021年12月号
APEC で野党党首に託した使命	『台湾協会報』2016年12月号
「マスク外交」で弾みをつける	『台湾協会報』2020年8月号
活発化する李登輝元総統の弔問外交	『台湾協会報』2020年9月号
ウクライナ侵攻で強まる対中警戒	『台湾協会報』2022年4月号

第4章　山積する課題に取り組んだ内政

厳格な初動措置に踏み切る	『台湾協会報』2020年3月号
ウイルス封じ込めに成功	『台湾協会報』2020年4月号
止まらない感染拡大	『台湾協会報』2021年6月号
ワクチン確保で後れを取る	『台湾協会報』2021年7月号
「ウィズコロナ」政策に転換	『台湾協会報』2022年7月号
動き出した脱原発政策	『台湾協会報』2016年11月号
同性婚合法化で二分する世論	『台湾協会報』2017年2月号
「台湾」を強調した新パスポート	『台湾協会報』2021年1月号
重い課題の「二・二八事件」真相解明	『台湾協会報』2017年3月号
三代続く総統経験者の起訴	『台湾協会報』2017年4月号
戒厳令解除から三〇年	『台湾協会報』2017年7月号

初出一覧

第1章　波乱続きの政権運営

新時代を切り開いた総統選	『台湾協会報』2016年2月号
対中依存度低下が最重要課題	『台湾協会報』2016年6月号
中国傾斜修正に動く	『台湾協会報』2016年7月号
「新南向政策」を推進	『台湾協会報』2016年10月号
成果挙がらず支持率は低迷	『台湾協会報』2017年6月号
行政院長交代で図る政権浮揚	『台湾協会報』2017年10月号
民進党大敗で不透明化する政局	『台湾協会報』2018年12月号
始まった党内レース	『台湾協会報』2019年2月号
民進党候補に蔡英文氏	『台湾協会報』2019年7月号
国民党候補は韓国瑜氏に	『台湾協会報』2019年8月号
二大政党一騎打ちの構図が固まる	『台湾協会報』2019年10月号
「一国二制度」にノーを突きつけた総統選	『台湾協会報』2020年2月号
現状維持路線は継続	『台湾協会報』2020年6月号
高雄市長の解職が成立	『台湾協会報』2020年7月号
住民投票で信任を得る	『台湾協会報』2022年1月号
統一地方選でふたたび大敗	『台湾協会報』2023年1月号
新内閣で立て直し	The News Lens:2023年2月4日

第2章　激しさ増す中国との攻防

会談は政府間に格上げ	『台湾協会報』2014年4月号
AIIB 参加で再燃する名称問題	『台湾協会報』2015年5月号
分断後初の中台首脳会談	『台湾協会報』2015年12月号
平潭島で進む経済協力	『台湾協会報』2016年9月号
「九二年合意」めぐるせめぎ合い	『台湾協会報』2016年4月号
共産党大会で鮮明にした反独立姿勢	『台湾協会報』2017年11月号
アメ政策で揺さぶる	『台湾協会報』2018年4月号
航空会社に「中国台湾」の表記を要求	『台湾協会報』2018年7月号
フェイクニュース対策法を制定	『台湾協会報』2020年1月号
パイナップル輸入を禁止	『台湾協会報』2021年4月号
突き崩した「一つの中国」の厚い壁	『台湾協会報』2017年1月号
潜水艦自主建造を計画	『台湾協会報』2018年5月号
四〇年で大きく変化した力関係	『台湾協会報』2019年1月号
台湾有事が日米首脳会談の最重要テーマに	『台湾協会報』2021年5月号

著者

近藤伸二

こんどう・しんじ

1956年神戸市生まれ。1979年神戸大学経済学部卒業、毎日新聞社入社。香港支局長、台北支局長、大阪本社経済部長、論説副委員長などを歴任。1994～1995年、香港中文大学に留学。2014年追手門学院大学経済学部教授、2017～2021年同大学オーストラリア・アジア研究所長兼任。2022年3月同大学を退職、4月からジャーナリストとして活動し、関西学院大学国際学部非常勤講師も務めている。著書に『彭明敏――蔣介石と闘った台湾人』（白水社、2021年）、『米中台　現代三国志』（勉誠出版、2017年）、『アジア実力派企業のカリスマ創業者』（中公新書ラクレ、2012年）、『反中vs.親中の台湾』（光文社新書、2008年）、『続・台湾新世代――現実主義と楽観主義』（凱風社、2005年）、『台湾新世代――脱中国化の行方』（凱風社、2003年）など。

現代台湾クロニクル
2014-2023

二〇二三年 八 月一五日 印刷
二〇二三年 九 月一〇日 発行

著者 © 近藤伸二
装幀 谷中英之
組版 閏月社
発行者 岩堀雅己
印刷所 株式会社三陽社
発行所 株式会社白水社

東京都千代田区神田小川町三の二四
電話 営業部〇三(三二九一)七八一一
編集部〇三(三二九一)七八二一
振替 〇〇一九〇-五-三三二二八
郵便番号 一〇一-〇〇五二
www.hakusuisha.co.jp

乱丁・落丁本は、送料小社負担にてお取り替えいたします。

誠製本株式会社

ISBN978-4-560-09373-3
Printed in Japan

中国《チャイナ》ファクターの政治社会学

台湾への影響力の浸透

川上桃子 編・監訳　呉 介民 編　津村あおい 訳

政治から経済、観光から宗教まで、日常生活のいたるところに浸透しながら、実態をとらえがたい〈チャイナ・ファクター〉とは何か？

台湾海峡一九四九

龍 應台　天野健太郎 訳

時代に翻弄され、痛みを抱えながら暮らしてきた「外省人」と台湾人。〝敗北者たち〟の声に真摯に耳を傾け、一九四九年を見つめ直す。

彭明敏

蔣介石と闘った台湾人

近藤伸二

李登輝と同時代を生き、民主化運動のシンボルと言われた人物の波瀾万丈の人生を貴重な証言と史料で再現したノンフィクション。

我的日本

台湾作家が旅した日本

呉 佩珍、白水紀子、山口 守 編訳

甘耀明、呉明益、王聡威ら気鋭の台湾作家一八名は日本に何を見たのか。日本文化への考察から東日本大震災の体験まで。東山彰良氏推薦。